Hernandes Dias Lopes

EFÉSIOS

Igreja, a noiva gloriosa de Cristo

© 2009 Hernandes Dias Lopes

1ª edição: janeiro de 2010
13ª reimpressão: julho de 2022

REVISÃO
Regina Aranha
Bárbara Benevides

DIAGRAMAÇÃO
Sandra Oliveira

CAPA
Claudio Souto (layout)
Patricia Caycedo (adaptação)

EDITOR
Aldo Menezes

COORDENADOR DE PRODUÇÃO
Mauro Terrengui

IMPRESSÃO E ACABAMENTO
Imprensa da Fé

As opiniões, as interpretações e os conceitos emitidos nesta obra são de responsabilidade do autor e não refletem necessariamente o ponto de vista da Hagnos.

Todos os direitos desta edição reservados à
EDITORA HAGNOS LTDA.
Av. Jacinto Júlio, 27
04815-160 — São Paulo, SP
Tel.: (11) 5668-5668

E-mail: hagnos@hagnos.com.br
Home page: www.hagnos.com.br

Editora associada à:

Dados Internacionais de Catalogação na Publicação (CIP)
(Câmara Brasileira do Livro, SP, Brasil)

Lopes, Hernandes Dias
    Efésios: igreja, a noiva gloriosa de Cristo / Hernandes Dias Lopes. — São Paulo: Hagnos, 2009.

    Bibliografia
    ISBN 978-85-7742-065-0

    1. Bíblia. N.T. Efésios - Comentários 2. Bíblia N.T. Epístolas de Paulo - Comentários I. Título.

09-10665   CDD-227.07

Índices para catálogo sistemático:
1. Efésios: Carta de Paulo: Comentários 227.07

Dedicatória

DEDICO ESTE LIVRO à minha mui preciosa irmã em Cristo e ovelha querida, Francisca da Silveira Cézar, pelo exemplo que tem sido para a igreja de Deus. A irmã Francisca é uma intercessora incansável, uma amiga generosa, um bálsamo de Deus em minha vida, família e ministério. Rendo graças a Deus, outrossim, pelos seus cem anos de vida, completados no dia 12 de novembro de 2009. A Deus toda a glória por essa tão longeva, preciosa e frutífera vida.

Sumário

Prefácio 7

1. A igreja de Deus, o povo mais rico do mundo 11
   (Ef 1:1-14)
2. A igreja de Deus, o povo mais poderoso do mundo 37
   (Ef 1:15-23)
3. A igreja de Deus, o povo chamado da sepultura
   para o trono 47
   (Ef 2:1-10)
4. A maior missão de paz da história 61
   (Ef 2:11-22)
5. O maior mistério da história 73
   (Ef 3:1-13)
6. A oração mais ousada da história 85
   (Ef 3:14-21)
7. A gloriosa unidade da igreja 99
   (Ef 4:1-16)
8. Um novo estilo de vida 115
   (Ef 4:17-32)
9. Imitadores de Deus 127
   (Ef 5:1-17)
10. Como ter uma vida cheia do Espírito Santo 135
    (Ef 5:18-21)

11. Como ter o céu em seu lar.. 149
    (Ef 5:22-33)
12. Pais e filhos vivendo segundo a direção de Deus 161
    (Ef 6:1-4)
13. Patrões e empregados.. 169
    (Ef 6:5-9)
14. A mais terrível batalha mundial 177
    (Ef 6:10-24)

Prefácio

A CARTA DE PAULO PARA OS EFÉSIOS é uma das joias mais belas de toda a literatura universal. Tesouros belíssimos e assaz preciosos podem ser encontrados em cada versículo dessa obra inspirada. Aqui Paulo não trata de problemas particulares, como o faz na maioria de suas missivas. Ao contrário, descerra as cortinas do tempo, penetra nos refolhos da eternidade e traz aos homens as verdades mais consoladoras da graça.

Os grandes temas da fé cristã ornam a coroa dessa epístola. Os capítulos mais destacados da soteriologia e da eclesiologia podem ser encontrados nessa obra-prima do apóstolo. Paulo começa essa carta como um maestro regendo uma grande orquestra. Já na introdução, leva seus leitores ao arroubo de uma extasiada doxologia. Como que num fôlego só, despeja, em catadupas de sua alma em ebulição, as verdades mais gloriosas acerca da obra da Trindade em favor da igreja, a noiva de Cristo.

Paulo aborda nessa missiva alguns temas que não trata com tanta profundidade nas demais, como a questão da reconciliação dos judeus com os gentios, o mistério do evangelho, a plenitude do Espírito, a família e a batalha espiritual. Essa é uma carta não apenas teológica, mas, sobretudo, prática. Ela tange de forma profunda e clara os princípios que devem nortear a família e a igreja neste mundo inundado de escuridão.

Nessa carta, como costuma acontecer nas demais, Paulo une de forma equilibrada doutrina e vida, teologia e ética. Nos três primeiros capítulos, Paulo lança as bases da doutrina e, nos três últimos, aplica a doutrina. A teologia é mãe da ética, e a ética é filha da teologia. A vida decorre da doutrina, e a doutrina é o fundamento da vida. Não podemos glorificar a Deus com a plenitude do nosso coração e com o vazio da nossa cabeça nem podemos glorificar a Deus com a plenitude da nossa cabeça e com o vazio do nosso coração. Conhecimento sem vida é orgulho estéril; vida sem conhecimento é experiencialismo vazio. Precisamos ter a mente cheia de luz e o coração inflamado pelo fogo. Precisamos de ortodoxia e ortopraxia; de doutrina certa e de vida certa.

Alguns eruditos consideram Efésios uma carta circular,[1] e não apenas uma epístola dirigida particularmente à igreja de Éfeso, uma vez que Paulo não trata ali de problemas locais como o faz nas outras epístolas. Mesmo que isso seja um fato, isso em nada deslustra a integridade e a pertinência de sua mensagem. Efésios também é considerada uma carta gêmea de Colossenses. Escritas do mesmo local, no mesmo período e levadas às igrejas pelo mesmo portador, ambas tratam basicamente das mesmas coisas. Curtis Vaughan diz que a carta aos Efésios alcança um campo mais vasto do que qualquer outra epístola do Novo Testamento, com exceção, talvez, da Carta para os Romanos. Ela abrange os judeus e os gentios, o céu e a terra, o passado e o presente e os tempos futuros:[2] A ênfase fundamental de Colossenses é apresentar Cristo como Cabeça da igreja, e a ênfase essencial de Efésios é a apresentar a igreja como corpo de Cristo.

O apóstolo dos gentios escreveu essa carta de sua primeira prisão em Roma. O missionário veterano já tinha passado por agruras terríveis antes de chegar à capital do império. Ele tinha sido perseguido em Damasco, rejeitado em Jerusalém e esquecido em Tarso. Ele já tinha sido apedrejado em Listra, açoitado em Filipos, escorraçado de Tessalônica, enxotado de Bereia, chamado de tagarela em Atenas e de impostor em Corinto. Enfrentou feras em Éfeso, foi preso em Jerusalém e acusado em Cesareia. Enfrentou um naufrágio avassalador ao dirigir-se a Roma e foi picado por uma cobra em Malta. Já tinha sido fustigado três vezes com varas pelos romanos e recebido 195 açoites dos judeus (2Co 11:24,25).

O velho apóstolo chegou a Roma preso e algemado. Durante dois anos, ficou numa casa alugada sob custódia do imperador. Vigiado pela guarda pretoriana, a guarda de elite do palácio imperial composta de 16 mil soldados de escol, encorajou os crentes de Roma e escreveu cartas para as igrejas das províncias da Macedônia e da Ásia Menor. Longe de se considerar prisioneiro de César, deu a si mesmo o título de prisioneiro de Cristo Jesus (3:1), prisioneiro no Senhor

(4:1) e embaixador em cadeias (6:20). As circunstâncias, nem mesmo as mais adversas, não levaram esse gigante de Deus a sucumbir. Ao contrário, ele foi um canal de consolo para as igrejas, porque estava ligado à fonte eterna. Ele foi um arauto de boas notícias, um embaixador do céu, um homem que ardeu de zelo por Cristo e doou-se com a mesma intensidade até sua voz ser silenciada pelo martírio.

Estudar essa carta é pisar em solo sagrado. Precisamos fazê-lo com os pés descalços, o coração esbraseado e os olhos untados de lágrimas. Não podemos tratar de coisas tão sublimes com a alma seca como um deserto. Não estamos penetrando pelos umbrais de uma obra puramente acadêmica, mas entrando nas salas espaçosas do palácio do Rei da glória.

Minha ardente oração é que o estudo dessa carta inflame sua alma, aqueça seu coração, abra seus lábios e apresse seus pés para anunciar ao mundo que Jesus Cristo nos amou e se entregou por nós. Que ele morreu pelos nossos pecados, mas ressuscitou para a nossa justificação e está à destra de Deus Pai, de onde governa soberanamente os céus e a terra e de onde há de vir para buscar a igreja, a sua amada noiva.

Notas do prefácio

[1] HENDRIKSEN, William. *Efésios*. São Paulo: Cultura Cristã, 1992, p. 80.

[2] VAUGHAN, Curtis. *Efésios*. Miami: Vida, 1986, p. 10.

Capítulo 1

A igreja de Deus, o povo mais rico do mundo
(Ef 1:1-14)

A CARTA PARA OS EFÉSIOS É A COROA dos escritos de Paulo:[3] Alguns eruditos consideram-na a composição mais divina da raça humana:[4] William Barclay vê Efésios como a rainha das epístolas paulinas:[5] John Mackay, ilustre presidente do Seminário de Princeton, em seus tempos áureos, considerou Efésios o maior e o mais amadurecido de todos os escritos paulinos:[6] Willard Taylor, citando F. F. Bruce, diz que Efésios é a pedra de cobertura da estrutura maciça dos ensinamentos de Paulo:[7]

Mackay era de opinião que, de todos os livros da Bíblia, Efésios era o mais convincente para a situação atual, tanto da igreja como do mundo. Aqui, Deus e homem, Cristo crucificado e Cristo ressurreto, doutrina e música, pensamento teológico e viver diário, vida no lar e vida no mundo, experiência arrebatadora de segurança em Cristo e consciência de perigo iminente, calma íntima e turbulência externa no caminho da vida reconciliam-se sob os rios do mais iluminado pensamento que jamais cintilou na mente humana:[8]

A largueza do interesse de Paulo e a extensão da sua visão na Carta para os Efésios são igualmente surpreendentes. Seu interesse abarca tudo quanto Deus tem feito a favor do homem, o que ele tem feito ao homem e o que ele faz e pode fazer por intermédio do homem:[9]

Como já afirmamos, Paulo estava preso em Roma quando escreveu a carta para os Efésios. Essa carta trata da igreja e do glorioso propósito de Deus para ela, nela e por intermédio dela. Paulo abre essa carta falando sobre três coisas:

Em primeiro lugar, *Paulo apresenta-se como o remetente da carta* (1:1). "Paulo, apóstolo de Cristo Jesus pela vontade de Deus." Embora alguns teólogos do século 20 de viés liberal tenham ousado pôr em dúvida a autoria paulina dessa carta, praticamente todos os eruditos desde o primeiro século apontam Paulo como autor dessa missiva:[10] Willard Taylor diz que, já no segundo século, os pais da igreja atribuíram a epístola a Paulo de Tarso. Inácio de Antioquia (martirizado em 115 d.C.) conhecia a epístola para Efésios e sabia que era paulina. O bispo Policarpo de Esmirna e também os autores da epístola de Barnabé e do pastor de Hermas dão evidências de atribuir Efésios ao apóstolo Paulo. A autoria paulina é sustentada por outros líderes cristãos do segundo século, incluindo Irineu de Lyon, Clemente de Alexandria e Tertuliano de Cartago. O famoso Cânon Muratoriano (190 d.C.) traz Efésios em sua relação de livros cristãos autorizados:[11]

Paulo é apóstolo de Cristo não por inspiração própria, ou por usurpação, nem mesmo por qualquer indicação do homem, mas por vontade de Deus:[12] A igreja não nomeia apóstolos; eles são chamados por Jesus. Nenhum homem pode constituir a si mesmo apóstolo; esse papel é da economia exclusiva de Cristo. Não temos mais apóstolos na igreja contemporânea, uma vez que a revelação de Deus está completa nas sagradas Escrituras. Hoje, seguimos o ensinamento dos apóstolos, conforme revelação registrada nas Escrituras. Russell Shedd diz que a palavra *apóstolo,* que indica o reconhecimento da autoridade de Paulo, baseia-se numa palavra aramaica, *shaliah.* Esse termo sugere que o apóstolo é aquele que é comissionado não apenas como missionário que leva uma mensagem; não apenas como embaixador que tem sua carta selada para entregar a um rei de outro país; mas como *procurador* que substitui aquele que o mandou. Ele pode tomar iniciativas. Assim, o que ele faz e fala, o realiza em Cristo. Paulo, como apóstolo, nos traz uma mensagem inspirada, com autoridade:[13]

Em segundo lugar, *Paulo indica os destinatários da carta* (1:1). "Aos santos e fiéis em Cristo Jesus que estão em Éfeso." A cidade de Éfeso era a capital da Ásia Menor e a maior metrópole da Ásia. Abrangia uma extensa área, e a sua população era superior a 300 mil habitantes. Ela era o centro do culto de Diana, a deusa da fertilidade, cujo templo, localizado a cerca de 1.600 metros da cidade, era considerado uma das sete maravilhas do mundo antigo e constituía o principal motivo de orgulho para Éfeso. Quatro vezes maior do que o Pártenon de Atenas, o templo de Éfeso levou, segundo a tradição, 220 anos para ser construído. Corria, na época, um dito popular de que "o Sol nada via mais belo no seu trajeto do que o templo de Diana":[14] Paulo esteve três anos na cidade de Éfeso e, ali, plantou uma pujante igreja, que se tornou influenciadora em todos os rincões da Ásia Menor.

A igreja de Éfeso tem dois endereços: ela é cidadã do mundo (está em Éfeso) e cidadã do céu (está em Cristo). Francis Foulkes diz que toda a vida do cristão está em Cristo. Como a raiz enterrada na terra, o ramo ligado à videira, o peixe está no mar e o pássaro, no ar, também o lugar da vida do cristão é em Cristo:[15] A palavra *santo* não quer dizer uma pessoa que não peca:[16] Os *santos* não são pessoas mortas canonizadas, mas pessoas vivas separadas por Deus para viver uma vida diferente. *Fiéis* são todos aqueles que confiam em Cristo Jesus. Todo aquele que é fiel também é santo, e todo santo é fiel. A palavra grega *hagioi*, "santos", quer dizer separados. Nos dias do Antigo Testamento, o tabernáculo, o templo, o sábado e o próprio povo eram santos por ser consagrados, separados para o serviço de Deus. Uma pessoa não é "santa" nesse sentido por mérito pessoal; ela é alguém separada por Deus e, por conseguinte, é chamada a viver em santidade:[17]

Em terceiro lugar, *Paulo roga bênçãos especiais para os destinatários* (1:2). "Graça a vós e paz da parte de Deus nosso Pai e do Senhor Jesus Cristo." O apóstolo fala de graça e paz tanto da parte de Deus Pai como do Senhor Jesus. A graça é a causa da salvação, e a paz é o resultado dela. A graça é a raiz, e a paz é o fruto. Essas bênçãos não emanam do homem; nem mesmo fluem da igreja. Elas só podem ser dadas por Deus mesmo. William Hendriksen diz que a paz pertence ao fluir de bênçãos espirituais que emanam dessa fonte, Deus. Essa paz é o sorriso de Deus que se faz presente no coração dos redimidos, a segurança da reconciliação por meio do sangue de Cristo, a verdadeira integridade e prosperidade espirituais:[18] William Barclay diz que, na Bíblia, a palavra grega *eirene*, "paz", nunca tem um sentido negativo, ou seja, nunca é apenas ausência de tribulações, dificuldades e aflições, mas relaciona-se com o supremo bem do homem, isto é, tudo aquilo que faz com que a vida seja verdadeiramente digna de ser vivida. Dessa forma, a paz cristã é algo absolutamente independente das circunstâncias externas:[19]

Em quarto lugar, *Paulo fala sobre o objetivo da carta* (1:3). "Bendito o Deus e Pai de nosso Senhor Jesus Cristo, que nos abençoou com todas as bênçãos espirituais nas regiões celestiais em Cristo." Paulo escreve essa carta para falar que a igreja é um povo muito abençoado. Ao focar sua atenção nessas bênçãos superlativas, o apóstolo prorrompe em bendita doxologia, dizendo: "Bendito seja o Deus e Pai de nosso Senhor Jesus Cristo."

De acordo com Westcott, essa passagem (Ef 1:3-14) é "um salmo de louvor pela redenção e consumação das coisas criadas, cumpridas em Cristo pelo Espírito segundo o propósito eterno de Deus":[20] Concordo com Russell Shedd quando ele diz que toda doutrina deve ser como um fundamento, ou solo, em que cresce constantemente a vitalidade de adoração e de culto:[21] Mas adoração e culto a quem? Francis Foulkes diz que, no Novo Testamento, a palavra grega *eulogetos,* "bendito", é usada somente com referência a Deus. Só ele é digno de ser bendito. Os homens são benditos quando recebem suas bênçãos; Deus é bendito quando é louvado por tudo o que gratuitamente confere ao homem e ao seu mundo:[22]

Essa belíssima introdução de Paulo pode ser comparada a uma bola de neve rolando colina abaixo e ganhando volume ao descer:[23] Longe de pôr os holofotes em sua dolorosa situação como prisioneiro em Roma, o apóstolo eleva seus pensamentos às alturas excelsas das gloriosas bênçãos espirituais que temos nas regiões celestes. John Stott destaca que, no grego original, os doze primeiros versículos (1:3-14) formam uma única sentença gramatical complexa. As palavras fluem da boca de Paulo numa torrente contínua. Ele não faz pausa para tomar fôlego, nem pontua as frases com pontos finais:[24] John Mackay escreve numa linguagem poética: "Essa adoração rapsódica é comparável à abertura de uma ópera, que contém as sucessivas melodias que se seguirão".[25]

Três verdades merecem ser, aqui, destacadas:

A fonte de nossas bênçãos. Deus, o Pai, nos faz ricos em Jesus Cristo. Ele é o dono do Universo, e nós somos seus filhos e herdeiros. Antes de Paulo descrever essas riquezas, ele prorrompe numa doce doxologia de exaltação a Deus, o Pai. Embora essa seja a carta mais eclesiológica do Novo Testamento, sua atenção se volta para Deus, e não propriamente para a igreja, uma vez que tudo é dele, por meio dele e para ele (Rm 11:36).

A natureza de nossas bênçãos. Nós temos toda sorte de bênção espiritual. No Antigo Testamento, o povo tinha bênçãos materiais como recompensa por sua obediência (Dt 28:1-13). Mas, hoje, temos toda sorte de bênção espiritual. O espiritual é mais importante que o material.

A esfera das bênçãos. "Nas regiões celestiais em Cristo." Essa frase não aparece em outras epístolas paulinas. Russell Shedd é de opinião que Paulo quer chamar nossa atenção para a realidade de que, quando estamos em Cristo, já estamos como que levantados deste mundo e muitos fatores que normalmente controlariam nossas atitudes no mundo adquirem nova realidade: a realidade da exaltação de Cristo:[26] As pessoas não convertidas estão interessadas primariamente nas coisas terrenas, porque esse é o lugar em que vivem. Elas são filhas deste mundo (Lc 16:8). Mas a vida do cristão está centrada no céu. Sua cidadania encontra-se no céu (Fp 3:20). Seu nome está escrito no céu (Lc 10:20). Seu Pai está no céu (Cl 3:1):[27]

Concordo com Curtis Vaughan quando diz que a expressão "regiões celestiais" não se refere a uma localização física, mas a uma esfera de realidade espiritual à qual o crente foi elevado em Cristo, o que quer dizer se tratar não do céu futuro, mas do céu que existe no cristão e em torno dele no presente. Os crentes, na realidade, pertencem a dois mundos (Fp 3:20). Da perspectiva temporal, pertencem à terra; mas espiritualmente vivem em comunhão com Cristo e, por conseguinte, pertencem à esfera celestial:[28]

O cristão é cidadão do céu. Há uma segunda esfera em que ele vive: "em Cristo". Todas as bênçãos recebidas são *em Cristo*. A ideia aparece não menos de doze vezes nos primeiros catorze versículos dessa epístola. Os crentes são fiéis em Cristo (1:1), escolhidos nele (1:4), recebem a graça nele (1:6), têm a redenção nele (1:7), são feitos herança nele (1:11), são selados nele (1:13) e assim por diante:[29] Foulkes tem razão quando diz que a vida do cristão está erguida acima das coisas passageiras. Ele está no mundo, mas também está no céu, pois não é limitado pelas coisas materiais que se dissipam. Vida, neste instante, se é vida em Cristo, é nas regiões celestes:[30]

O apóstolo Paulo, inspirado pelo Espírito Santo, fala da procedência trinitariana das bênçãos que a igreja recebe. Curtis Vaughan diz que, no texto grego, os versículos 3-14 constituem um sublime período, cujos elementos são entrelaçados e habilmente reunidos. A fim de auxiliar o leitor a não perder a conexão do pensamento, a versão King

James põe um ponto final depois dos versículos 6, 12 e 14. De acordo com essa pontuação, lê-se em três estrofes o inspirado hino de Paulo. A primeira (v. 3-6) relaciona-se com o passado, tendo o misericordioso plano do Pai como centro. A segunda (v. 7-12) relaciona-se com o presente e gira em torno da obra redentora de Cristo. A terceira (13-14) aponta para a futura consumação da redenção e exalta o ministério do Espírito Santo:[31]

Bênçãos procedentes de Deus, o Pai (Ef 1:4-6)

As estrofes mencionadas no ponto anterior são relacionadas aos aspectos da redenção divina e, ao mesmo tempo, cada estrofe que termina com o estribilho "para o louvor da glória da sua graça" (1:6), "para o louvor da sua glória" (1:12) ou "em louvor da sua glória" (1:14) nos traz os ensinamentos das bênçãos que a obra redentora de Deus nos oferece.

Vejamos, portanto, as bênçãos procedentes do Pai:

Em primeiro lugar, *Deus nos escolheu* (Ef 1:4). "Como também nos elegeu nele, antes da fundação do mundo, para sermos santos e irrepreensíveis diante ele." A eleição é um ato da livre e soberana graça de Deus. Em momento algum Paulo trata da questão da eleição como um tema para discussões frívolas e acadêmicas. Ao contrário, ele entra nesse terreno com os pés descalços, com humildade e reverência. Ele abre esse assunto com doxologia e adoração, dizendo: "Bendito seja o Deus e Pai". A Bíblia nunca argumenta a doutrina da eleição; simplesmente a põe diante de nós. Francis Foulkes tem razão quando diz que a doutrina da eleição não é levantada como um assunto de controvérsia ou de especulação:[32]

Concordo com John Stott quando diz que a doutrina da eleição não foi inventada por Agostinho de Hipona nem por Calvino de Genebra. Pelo contrário, é, sem dúvida, uma doutrina bíblica, e nenhum cristão bíblico pode ignorá-la:[33] A Bíblia não só não discute o tema, mas nos proíbe de discuti-lo: "Ele [Deus] tem misericórdia de quem quer e endurece a quem quer. Então me dirás: Por que Deus se queixa ainda? Pois, quem pode resistir à sua vontade? Mas quem és tu, ó homem, para argumentares com Deus? Por acaso a coisa formada dirá ao que a formou: Por que me fizeste assim?" (Rm 9:18-20).

Dr. Gambrell, presidente da Convenção Batista do Sul de 1917 a 1920, disse que grandes reavivamentos têm resultado da pregação heroica das doutrinas da graça, pois Deus honra a pregação que o honra. Diz ele: "Vamos trazer artilharia pesada do céu e trovejar contra essa nossa época presunçosa, como fizeram Whitefield, Edwards, Spurgeon e Paulo, e os mortos receberão vida em Cristo".

As provas bíblicas acerca da eleição divina são incontestáveis. Charles Spurgeon diz que, por meio dessa verdade da eleição, fazemos uma peregrinação ao passado e contemplamos pai após pai da igreja, mártir após mártir levantar-se e vir apertar nossa mão:[34] Se crermos nessa doutrina teremos atrás de nós uma nuvem de testemunhas: Jesus, os apóstolos, os mártires, os santos, os reformadores, os avivalistas, os missionários. Se crermos nessa doutrina estaremos acompanhados por Jesus, Pedro, João, Paulo, Agostinho, Crisóstomo, Lutero, Calvino, Zuínglio, John Knox, John Owen, Thomas Goodwin, Jonathan Edwards, George Whitefield, Charles Spurgeon, John Broadus, Martyn Lloyd-Jones, John Stott e tantos outros. Se crermos nessa doutrina teremos atrás de nós os grandes credos e confissões reformadas. Se crermos nessa doutrina teremos ao nosso lado o testemunho das Escrituras e da história da igreja.

Paulo fala sobre vários aspectos da eleição em *O autor da eleição*. Deus, o Pai, é o autor da eleição. Não fomos nós quem escolhemos a Deus; foi ele quem nos escolheu (2Ts 2:13; Jo 15:16). Os pecadores perdidos, entregues a si mesmos, não procuram a Deus (Rm 3:10,11); Deus, em seu amor, é quem procura os pecadores (Lc 19:10). Deus não nos escolheu porque previu que creríamos em Jesus; ele nos escolheu para crermos em Jesus (At 13:48). Deus não nos escolheu por causa da nossa santidade, mas para sermos santos e irrepreensíveis (1:4). Deus não nos escolheu por causa das nossas boas obras, mas para as boas obras (2:10). Deus não nos escolheu por causa da nossa obediência, mas para a obediência (1Pe 1:2). A fé, a santidade, as boas obras e a obediência não são a causa, mas o resultado da eleição. A causa da eleição divina não está no objeto amado, mas naquele que ama. Deus nos escolheu não por causa dos nossos méritos, mas apesar dos nossos deméritos. A eleição divina é incondicional.

O tempo da eleição (1:4). Spurgeon dizia que enquanto não recuarmos até ao tempo em que o Universo inteiro dormia na mente de Deus como algo que ainda não havia nascido, enquanto não penetrarmos na eternidade em que Deus, o Criador, vivia na comunhão da Trindade, quando tudo ainda dormia dentro dele, quando a criação inteira repousava em seu pensamento todo abrangente e gigantesco, não teremos nem começado a sondar o princípio, o momento em que Deus nos escolheu. Deus nos escolheu quando o espaço celeste não era ainda agitado pelo marulhar das asas de um único anjo, quando ainda não existia qualquer ser, ou movimento, ou tempo, e quando coisa alguma nem ser nenhum, exceto o próprio Deus, existia, e ele estava sozinho na eternidade:[35]

A eleição divina não foi um plano de última hora porque o primeiro plano de Deus fracassou. O pecado de Adão não pegou Deus de surpresa. Deus não ficou roendo as unhas com medo de o homem estragar tudo no Éden. Deus planejou a nossa salvação antes mesmo de lançar os fundamentos da terra. Antes que houvesse céu e terra, Deus já havia decidido nos escolher em Cristo para a salvação. Ele nos escolheu antes dos tempos eternos (2Tm 1:9). Ele nos escolheu desde o princípio para a salvação (2Ts 2:13). Ele nos escolheu antes da fundação do mundo (1:4).

Esse plano jamais foi frustrado nem anulado. Mesmo diante da nossa rebeldia e transgressão, o plano de Deus permanece intato e vitorioso. Paulo diz: "E os que predestinou, a eles também chamou; e os que chamou, a eles também justificou; e os que justificou, a eles também glorificou" (Rm 8:30).

Nenhum problema neste mundo ou no mundo por vir pode cancelar essa eleição divina. Paulo pergunta: "Quem trará alguma acusação contra os escolhidos de Deus? É Deus quem os justifica; quem os condenará? Cristo Jesus é quem morreu, ou, pelo contrário, quem ressuscitou dentre os mortos, o qual está à direita de Deus e também intercede por nós" (Rm 8:33,34). O apóstolo ainda diz: "Aquele que começou a boa obra em vós irá aperfeiçoá-la até o dia de Cristo Jesus" (Fp 1:6). Nossa vida está segura nas mãos de Jesus, e das suas mãos ninguém pode nos tirar (Jo 10:28).

O agente da eleição (1:4). Deus nos escolheu em Cristo. A eleição não anula a cruz de Cristo; antes, a inclui. Não somos salvos à parte de Cristo e de seu sacrifício vicário, mas através de sua morte substitutiva. A eleição é o fundamento e a raiz de todas as bênçãos subsequentes:[36] Deus não nos escolheu em nós mesmos, por nossos méritos, mas em Cristo. À parte de Cristo não existe eleição. Todas as bênção espirituais que recebemos estão centralizadas em Cristo. Ninguém pode se considerar um eleito de Deus mantendo-se ainda rebelde a Cristo.

O objeto da eleição (1:4). "[Deus] *nos* elegeu" (grifo do autor). Isso prova que a salvação não é universalista. Paulo está escrevendo aos crentes (1:1) e aos santos e irrepreensíveis (1:4). Esse "nos" refere-se a todos os homens sem distinção (etnia, cultura, religião), mas não a todos os homens sem exceção. Karl Barth afirma erroneamente que, em conexão com Cristo, todos os homens, sem exceção, são eleitos e que a distinção básica não é entre eleitos e não eleitos e, sim, entre os que têm consciência de sua eleição e os que não a têm:[37]

O propósito da eleição. Deus nos escolheu em Cristo para "sermos santos e irrepreensíveis" (1:4). A santidade e a irrepreensibilidade são o propósito de Deus na eleição. Nenhuma pessoa deve considerar-se eleita de Deus se não vive em santidade. A santificação não é a causa, mas a prova da nossa eleição. A eleição é a raiz da salvação, não seu fruto! Vejamos com mais detalhe os propósitos da eleição.

A santidade (1:4). Enganam-se aqueles que pensam que a doutrina da eleição promove e estimula uma vida relaxada. Somos eleitos para a santidade, e não para o pecado. Somos salvos do pecado, e não no pecado. Jesus se manifestou para desfazer as obras do Diabo (1Jo 3:8). Uma pessoa que se diz segura de sua salvação e não vive em santidade está provando que não é eleita. A Bíblia diz que devemos confirmar a nossa eleição. William Barclay afirma corretamente que a palavra grega *hagios,* "santo", contém sempre a ideia de diferença e de separação. Algo que é *hagios* é diferente das coisas ordinárias. Um templo é santo porque

A igreja de Deus, o povo mais rico do mundo

é diferente dos demais edifícios. Um sacerdote é santo porque é diferente do homem comum; uma vítima é santa porque é diferente dos demais animais; o dia do repouso é santo porque é diferente dos demais dias. Deus é santo por excelência porque é diferente dos homens. Assim, Deus escolhe o cristão para que seja diferente dos demais homens:[38]

Muitos, para sua própria ruína, pervertem a doutrina da eleição quando afirmam "Sou um eleito de Deus" mas se assentam no ócio e praticam a iniquidade com ambas as mãos. F. F. Bruce comenta com sabedoria: "O amor de Deus que nos predestina é recomendado mais por aqueles que levam vida santa e semelhante à de Cristo do que por aqueles cuja tentativa de desembaraçar o mistério termina em disputas sobre questões irrelevantes de lógica".

Aqueles que não são santos não podem ter comunhão com Deus nem jamais verão a Deus. No céu, só entrarão os santos. Uma pessoa que não ama a santidade não suportaria o céu.

Spurgeon argumentava: por que você reclama da eleição divina? Você quer ser santo? Então você é um eleito. Mas se você diz que não quer ser santo nem viver uma vida piedosa, por que você reclama por não ter recebido aquilo que não deseja? Curtis Vaughan cita a conhecida a advertência de Spurgeon aos seus ouvintes:

> Ninguém poderá julgar-se eleito de Deus a menos que tenha a convicção de estar em Cristo. Não imagineis que alguma espécie de decreto firmado no mistério da eternidade salve as vossas almas, a menos que creais em Cristo. Não imagineis que sereis salvos mesmo que não tenhais fé. Essa é a mais abominável e maldita heresia que tem arruinado milhares. Não tomeis a eleição divina como uma

espécie de travesseiro para dormirdes sossegado, porque podereis perder-vos:[39]

A irrepreensibilidade (1:4). A palavra grega *amomos,* "irrepreensível", é a palavra veterotestamentária para um sacrifício imaculado:[40] Essa palavra quer dizer "sem qualquer espécie de mancha". Era a palavra usada para um animal apto para o sacrifício perfeito. William Barclay diz corretamente que a palavra *amomos* concebe toda a vida e todo o homem como uma oferenda a Deus. Cada parte da nossa vida, nosso trabalho, nosso lazer, nossa vida familiar, nossas relações pessoais deve fazer parte da nossa oferenda a Deus:[41]

A eleição tem como alvo nos levar a uma vida limpa, pura, santa. Somos a noiva do Cordeiro que está se adornando para ele. Não somos escolhidos para viver na lama, mas para viver como luzeiros do mundo e apresentar-nos a Jesus como a noiva pura, santa e sem defeito (5:27).

A comunhão com Deus (1:5). "E nos predestinou para si mesmo." Deus nos predestinou para ele, para vivermos diante dele. Deus não nos escolheu para vivermos longe dele, sem intimidade com ele, sem comunhão com ele. Fomos eleitos para Deus, para andarmos com Deus, para nos deleitarmos em Deus. Ele é a nossa fonte de prazer. Ele é o amado da nossa alma. Na presença dele é que encontramos plenitude de alegria (Sl 16:11).

Podemos concluir dizendo que a doutrina da eleição é uma revelação divina, e não uma especulação humana; ela é um incentivo à santidade, e não uma desculpa para o pecado; é um estímulo à humildade, e não um motivo para o orgulho; é um encorajamento à evangelização, e não uma razão para o descuido missionário.

A igreja de Deus, o povo mais rico do mundo

Em segundo lugar, *Deus nos adotou* (1:5b). "Segundo a boa determinação de sua vontade, para sermos filhos adotivos por meio de Jesus Cristo." No mundo romano, a família baseava-se no regime *patria potestas,* ou seja, o poder do pai. Sob a lei romana, o pai possuía poder absoluto sobre seus filhos enquanto estes vivessem. Podia vendê-los, escravizá-los e até mesmo matá-los. O pai tinha direito de vida e de morte sobre os filhos. A adoção consistia em passar de um *patria potestas* para outro. O filho adotiva ganhava uma nova família, passava a usar o nome do novo pai e herdava seus bens. Essa adoção apagava o passado e iniciava uma nova relação:[42] Deus escolheu-nos e destinou-nos para sermos membros de sua própria família. A eleição da graça outorga a nós não apenas um novo nome, um novo *status* legal e uma nova relação familiar, mas também uma nova imagem, a imagem de Cristo (Rm 8:29).

A adoção é algo lindo. Um filho natural pode vir quando os pais não esperam ou até mesmo quando não querem ou ainda não se sentem preparados. Mas a adoção é um ato consciente, deliberado e resoluto de amor. É uma escolha voluntária. Na lei romana, os filhos adotivos desfrutavam dos mesmos direitos dos filhos legítimos. Um filho adotivo recebe o nome da nova família e torna-se herdeiro natural dessa família. Somos filhos de Deus. Recebemos um novo nome, uma nova herança. Francis Foulkes tem razão quando afirma que um filho adotado deve sua posição à graça, e não ao direito:[43] Deus nos predestinou para sermos conformes à imagem de seu Filho (Rm 8:29). O interesse divino é que sejamos transformados em réplicas, imagens de Jesus Cristo e retratos vivos dele:[44]

Mas somos ainda filhos gerados por Deus. Somos nascidos do alto, de cima, do céu, do Espírito. Somos coparticipantes da natureza divina. Deus nos escolheu para vivermos como filhos amados. "O próprio Espírito dá testemunho ao nosso espírito de que somos filhos de Deus" (Rm 8:16).

Em terceiro lugar, *Deus nos aceitou* (1:6). "Para o louvor da glória da sua graça, que nos deu gratuitamente no Amado." Não podemos fazer a nós mesmos aceitáveis a Deus. Nossa justiça é como trapo de imundícia aos seus olhos. Mas ele, por sua graça, fez-nos aceitáveis em Cristo. "Cristo habita para sempre no amor infinito de Deus, e como estamos em Cristo, o amor de Deus para com Cristo está em nós de uma maneira maravilhosa."[45] Quando o filho pródigo chegou em casa com as vestes rasgadas e sujas da lama do chiqueiro, seu pai o abraçou e o beijou e lhe deu nova roupagem! Ele se tornou aceitável ao pai. É como se alguém tomasse um leproso e o transformasse num jovem radiante:[46]

Bênçãos procedentes de Deus, o Filho (1:7-12)

Todas as bênçãos que recebemos do Pai, recebemo-las em Cristo. Somos abençoados nele. Paulo destaca quatro bênçãos gloriosas procedentes de Jesus Cristo. Aqui a atenção é desviada do céu para a terra, do passado para o presente e, em certo sentido, do Pai para o Filho:[47]

Em primeiro lugar, *Jesus nos redimiu* (1:7a). "Nele temos a redenção, [...] pelo seu sangue." William Barclay diz que a palavra *apolytrosis,* "redimir", era usada para o resgate do homem feito prisioneiro de guerra ou escravo. Ela aplica-se também à libertação do homem da pena de morte merecida por algum crime. É a palavra que se usa para se referir à libertação divina dos filhos de Israel da escravidão do Egito, assim como o resgate contínuo do povo eleito em tempo

A igreja de Deus, o povo mais rico do mundo

de tribulação. Em cada caso, o homem é redimido e libertado de uma situação de que era incapaz de se libertar por si mesmo ou de uma dívida que jamais poderia pagar por seus próprios meios:[48]

A palavra *redimir* quer dizer "comprar e deixar livre mediante pagamento de um preço". Foulkes diz que a ideia fundamental de "redenção" é de tornar livre uma coisa ou pessoa que se tornara propriedade de outrem:[49] Na época de Paulo, o Império Romano tinha cerca de 60 milhões de escravos, e eles, geralmente, eram vendidos como uma peça de mobília. Mas um homem podia comprar um escravo e dar-lhe liberdade. Foi isso que Cristo fez por nós:[50] O preço da nossa redenção foi o seu sangue (1:7; 1Pe 1:18,19). Isso quer dizer que estamos livres da lei (Gl 5:1), da escravidão do pecado (Rm 6:1), do mundo (Gl 1:4) e do poder de Satanás (Cl 1:13,14).

Em segundo lugar, *Jesus Cristo nos perdoou* (1:7b). "O perdão dos nossos pecados [...], segundo a riqueza da sua graça." O verbo *perdoar* quer dizer "levar embora". Cristo morreu para levar nossos pecados embora a fim de que nunca mais sejam vistos. Não há qualquer acusação registrada contra nós, pois nossos pecados foram levados embora:[51] O nosso perdão é baseado no sacrifício expiatório de Cristo. O perdão de Cristo é completo. Ele morreu para remover a culpa do nosso pecado. Ele é o Cordeiro que tira o pecado do mundo (Jo 1:29). Agora nenhuma acusação pode prosperar contra nós, porque Cristo já rasgou o escrito de dívida que era contra nós (Cl 2:14). Ele perdoou-nos, e dos nossos pecados jamais se lembra. O perdão de Cristo é imerecido, imediato e completo.

Em terceiro lugar, *Jesus Cristo nos revelou a vontade de Deus* (1:8-10). O apóstolo Paulo escreve:

> Que ele [Deus] fez multiplicar-se para conosco em toda sabedoria e prudência. E fez com que conhecêssemos o mistério da sua vontade, segundo a sua boa determinação, que nele [Cristo] propôs para a dispensação da plenitude dos tempos, de fazer convergir em Cristo todas as coisas, tanto as que estão no céu como as que estão na terra (1:8-10).

Deus não apenas recebe e perdoa àqueles que ele reconciliou consigo mesmo como filhos; ele também os ilumina com a compreensão do seu propósito. Sua graça é derramada sobre nós em toda a sabedoria e prudência (1:8). A palavra grega *sophia,* "sabedoria", é o conhecimento que olha para o coração das coisas, que as conhece tal como realmente são, e *phronesis,* "prudência", é a compreensão que leva a agir corretamente:[52] Como William Barclay diz: "Cristo outorga aos homens a habilidade de ver as grandes venturas da eternidade e de resolver os problemas de cada instante". Os homens têm essa sabedoria e prudência porque Deus revela o mistério da sua vontade. Esse mistério é a maneira pela qual Deus traz a uma unidade restaurada o Universo inteiro, que se tornara desordenado devido à rebelião e ao pecado do homem:[53]

O pecado separou o homem de Deus, do próximo, de si mesmo e da própria natureza. O pecado desintegra, rasga e separa todas as coisas; mas, em Cristo, Deus juntará todas as coisas na consumação dos séculos. Nós somos parte desse grande plano de Deus. John Mackay tem razão quando diz que Deus constituiu a Jesus Cristo como centro unificador de um vasto esquema de unidade por meio do qual as ordens celestes e terrestres, separadas como estão agora por um grande abismo entre o sobrenatural e o natural e pelo abismo ainda maior do santo e do pecaminoso, serão de novo reunidas em uma única e unida comunidade:[54]

Francis Foulkes diz que a palavra grega *anakephalaiosasthai*, "fazer convergir", era usada no sentido de juntar várias coisas e apresentá-las como uma só:[55] O plano de Deus para a plenitude dos tempos, quando o tempo voltar a fundir-se na eternidade, é fazer convergir nele (em Cristo) todas as coisas, tanto as do céu como as da terra (1:10). No tempo presente, ainda há discórdia no Universo, mas, na plenitude do tempo, esta cessará, e aquela unidade pela qual ansiamos virá com o domínio de Jesus Cristo:[56]

Uma grande questão deve ser aqui levantada. Quais são essas "todas as coisas" que convergirão em Cristo e estarão debaixo de Cristo como cabeça? Será que Paulo estaria insinuando uma salvação universal? Não, absolutamente não. Com certeza, elas incluem os cristãos vivos e os cristãos mortos, a igreja na terra e a igreja no céu. Ou seja, os que estão *em* Cristo agora (1:1) e que *em Cristo* receberam bênção (1:3), eleição (1:4), adoção (1:5), graça (1:6) e redenção (1:7). Parece também que Paulo está se referindo à renovação cósmica, à regeneração do Universo, à libertação da criação que geme:[57] Por essa razão, Francis Foulkes diz que é uma heresia de nossa época dividir a vida em sagrada e secular. Cristo está relacionado com todas as coisas, e todas acharão seu verdadeiro lugar e unidade nele:[58]

Em quarto lugar, *Jesus Cristo nos fez herança* (1:11,12). "Nele também fomos feitos herança, predestinados conforme o propósito daquele que faz todas as coisas segundo o desígnio da sua vontade, a fim de sermos para o louvor da sua glória, nós, os que antes havíamos esperado em Cristo." Em Cristo, temos uma linda herança (1Pe 1:1-4) e também somos uma herança. Aqueles que são porção de Deus têm sua herança nele:[59] Somos valiosos nele. Pense no preço que Deus pagou por você para que fosse herança dele. Deus, o Filho, é o dom de Deus, o Pai, para nós. E somos o dom do amor de Deus para o Filho. Somos a herança de Deus, o corpo de Cristo, o seu edifício, a sua noiva, a menina dos olhos de Deus, a delícia de Deus. O povo de Deus são os santos de Deus (1:1), a herança de Deus (1:11) e a possessão de Deus (1:14).

Bênçãos procedentes de Deus, o Espírito Santo (1:13,14)

Movemo-nos da eternidade passada (1:4-6) e da história passada (1:7-12) para a experiência imediata e a expectativa futura dos crentes (1:13,14):[60] O apóstolo Paulo destaca duas bênçãos gloriosas procedentes do Espírito Santo: selo e garantia:

Em primeiro lugar, *temos o selo do Espírito Santo* (1:13). "Nele, também vós, tendo ouvido a palavra da verdade, o evangelho da vossa salvação, e nele também crido, fostes selados com o Espírito Santo da promessa." O Espírito Santo selou-nos. O processo inteiro da salvação é ensinado nesse versículo. Ele mostra como um pecador torna-se santo: ele ouve o evangelho da salvação, como Cristo morreu pelos seus pecados e ressuscitou; ele crê com a fé que traz a salvação e, depois, é selado com o Espírito Santo. Você recebe o Espírito Santo imediatamente após confiar em Cristo.

O que representa o selo do Espírito? William Hendriksen fala de três funções do selo: garantir o caráter autêntico de um documento (Et 3:12), marcar uma propriedade (Ct 8:6) e proteger contra violação e dano (Mt 27:66):[61] Warren Wiersbe ainda fala sobre quatro aspectos da selagem do Espírito:[62]

O selo fala de uma transação comercial consumada. Até hoje, quando documentos legais importantes são tramitados, recebem um selo oficial para indicar a conclusão da transação. Jesus consumou sua obra de redenção na cruz. Ele comprou-nos com seu sangue. Somos propriedade exclusiva dele. Portanto, fomos selados como garantia dessa transação final. Os compradores de madeira em Éfeso colocavam o selo na madeira e, depois, enviavam seus mercadores para buscá-la.

O selo fala de um direito de posse. Francis Foulkes diz que, no mundo antigo, o selo representava o símbolo pessoal do proprietário ou do remetente de alguma coisa importante, e, por isso, tal como numa carta, distinguia o que era verdadeiro do que era espúrio. Era também a garantia de que o objeto selado havia sido transportado intato:[63] Deus pôs o seu selo sobre nós porque nos comprou para sermos sua propriedade exclusiva (1Co 6:19,20; 1Pe 2:9). John Stott diz que o selo é uma marca de possessão e de autenticidade. O gado e até mesmo os escravos eram marcados com um selo por seus donos a fim de indicar a quem pertenciam. Mas tais selos eram externos, ao passo que o de Deus está no coração. Deus põe seu Espírito no interior de seu povo a fim de marcá-lo como sua propriedade:[64]

O selo fala de segurança e proteção. O selo romano sobre a tumba de Jesus era a garantia de que ele não seria violado (Mt 27:62-66). Assim o crente pertence a Deus. O Espírito foi-nos dado para estar para sempre conosco. Ele jamais nos deixará.

O selo fala de autenticidade. O selo, bem como a assinatura do dono, atesta a genuinidade do documento. O apóstolo Paulo diz: "Se alguém não tem o Espírito de Cristo, não pertence a Cristo" (Rm 8:9).

Em segundo lugar, *temos a garantia do Espírito Santo* (1:14). "Que é a garantia da nossa herança, para a redenção da propriedade de Deus, para o louvor da sua glória." O apóstolo Paulo também falou do Espírito Santo como garantia. O Espírito Santo nos foi dado como garantia. A palavra grega *arrabon,* de origem hebraica, entrou no uso da língua grega provavelmente por intermédio dos fenícios. Era usada no grego moderno tanto para aliança como para a primeira prestação, depósito, entrada:[65]

William Barclay diz que, no grego clássico, *arrabon* significava o sinal em dinheiro que um comerciante tinha de depositar com antecedência ao fechar um contrato, dinheiro que perderia caso a operação não se consumasse:[66] A palavra *garantia,* portanto, representa a primeira parcela de um pagamento, a garantia de que o pagamento integral será efetuado. O Espírito Santo é o primeiro pagamento que garante aos filhos de Deus que ele terminará sua obra em nós, levando-nos para a glória (Rm 8:18-23; 1Jo 3:1-3). Vale ressaltar que a coisa dada está relacionada com a coisa garantida — o presente com o futuro — da mesma forma que a parte está relacionada com o todo. É de tipo igual. Assim, a vida espiritual do cristão hoje é do mesmo tipo que sua futura vida glorificada; o reino dos céus é um reino presente; o crente já está assentado com Cristo nas regiões celestes. O dom presente do Espírito é só uma pequena fração do dom futuro:[67]

William Barclay tem razão quando diz que a experiência do Espírito Santo que temos neste mundo é uma antecipação das alegrias e bênçãos do céu:[68] Assim, a garantia, ou primeira parcela, é a comprovação da glória por vir, glória que não se manifestará apenas quando a alma e o corpo se separarem, mas também, e especialmente, na grande consumação de todas as coisas, na segunda vinda de Cristo:[69]

A redenção tem três estágios: fomos redimidos — justificação (1:7); estamos sendo redimidos — santificação (Rm 8:1-4) e seremos redimidos — glorificação (1:14). A palavra *garantia*, como dissemos, tem também o sentido de anel de noivado, de compromisso:[70] É a garantia de que a promessa de fidelidade será guardada. Nossa relação com Deus é uma relação de amor. Jesus é o noivo, e a sua igreja é a noiva.

Todas essas riquezas vêm pela graça de Deus e são para a glória de Deus. Toda a obra do Pai (1:6), do Filho (1:12) e do Espírito Santo (1:13,14) tem uma fonte (a graça) e um propósito (a glória de Deus). O nosso fim principal é glorificar a Deus, e o fim principal de Deus é glorificar a si mesmo.

NOTAS DO CAPÍTULO I

[3] STOTT, John. *A mensagem de Efésios*. São Paulo: ABU Editora, 1986, p. 1.

[4] HENDRIKSEN, William. *Efésios*, p. 41.

[5] BARCLAY, William. *Galatas y Efesios*. Buenos Aires: Editorial la Aurora, 1973, p. 69.

[6] MACKAY, John. *A ordem de Deus e a desordem do homem*. Rio de Janeiro: Confederação Evangélica do Rio, 1959, p. 8.

[7] TAYLOR, Willard H. *A epístola aos Efésios*. Em Comentário Bíblico Beacon, vol. 9. Rio de Janeiro: CPAD, 2006, p. 107.

[8] MACKAY, John. *A ordem de Deus e a desordem do homem*, p. 11.

[9] MACKAY, John. *A ordem de Deus e a desordem do homem*, p. 23.

[10] STOTT, John. *A mensagem de Efésios*, p. 2.

[11] TAYLOR, Willard H. *A epístola aos Efésios*, p. 107.

[12] HENDRIKSEN, William. *Efésios*, p. 90.

[13] SHEDD, Russell. *Tão grande salvação*. São Paulo: ABU Editora, 1978, p. 10,11.

[14] VAUGHAN, Curtis. *Efésios*, p. 17.

[15] FOULKES, Francis. *Efésios: introdução e comentário*. São Paulo: Vida Nova, 1963, p. 38.

[16] SHEDD, Russell. *Tão grande salvação*, p. 11.

[17] FOULKES, Francis. *Efésios: introdução e comentário*, p. 37.

[18] HENDRIKSEN, William. *Efésios*, 1992, p. 92.

[19] BARCLAY, William. *Galatas y Efesios*. Buenos Aires: Editorial La Aurora, 1973, p. 81,82.

[20] WESTCOTT, B. F. *St. Paul's Epistle to the Ephesians*. Grand Rapids, MI: William B. Eerdmans Publishing Company, 1950, p. 4.

[21] SHEDD, Russell. *Tão grande salvação*, p. 12.

[22] FOULKES, Francis. *Efésios: introdução e comentário*, p. 39.

[23] HENDRIKSEN, William. *Efésios*, p. 93.

[24] STOTT, John. *A mensagem de Efésios*, p. 13.

[25] MACKAY, John. *A ordem de Deus e a desordem do homem*, p. 24.

[26] SHEDD, Russell. *Tão grande salvação*, p. 13,14.

[27] WIERSBE, Warren W. *Comentário bíblico expositivo*. Vol. 6. Santo André: Geográfica Editora, 2006, p. 10.

[28] VAUGHAN, Curtis. *Efésios*, p. 21.

[29] VAUGHAN, Curtis. *Efésios*, p. 22.

[30] FOULKES, Francis. *Efésios: introdução e comentário*, p. 40.

[31] VAUGHAN, Curtis. *Efésios*, p. 19.

32 FOULKES, Francis. *Efésios: introdução e comentário*, p. 40.
33 STOTT, John. *A mensagem de Efésios*, p. 17.
34 SPURGEON, Charles Haddon. *Eleição*. São Paulo: Fiel, 1987, p. 7,8.
35 SPURGEON, Charles Haddon. *Eleição*, p. 22.
36 HENDRIKSEN, William. *Efésios*, p. 97.
37 HENDRIKSEN, William. *Efésios*, p. 96,97.
38 BARCLAY, William. *Galatas y Efesios*, p. 83.
39 VAUGHAN, Curtis. *Efésios*, p. 25
40 STOTT, John. *A mensagem de Efésios*, p. 18.
41 BARCLAY, William. *Galatas y Efesios*, p. 84.
42 BARCLAY, William. *Galatas y Efesios*, p. 85,86.
43 FOULKES, Francis. *Efésios: introdução e comentário*, p. 41.
44 SHEDD, Russell. *Tão grande salvação*, p. 15.
45 FOULKES, Francis. *Efésios: introdução e comentário*, p. 42.
46 FOULKES, Francis. *Efésios: introdução e comentário*, p. 42.
47 HENDRIKSEN, William. *Efésios*, p. 104.
48 BARCLAY, William. *Galatas y Efesios*, p. 87.
49 FOULKES, Francis. *Efésios: introdução e comentário*, p. 43.
50 WIERSBE, Warren W. *Comentário bíblico expositivo*, p. 13.
51 WIERSBE, Warren W. *Comentário bíblico expositivo*, p. 13.
52 FOULKES, Francis. *Efésios: introdução e comentário*, p. 44.
53 FOULKES, Francis. *Efésios: introdução e comentário*, p. 44.
54 MACKAY, John. *A ordem de Deus e a desordem do homem*, p. 55.
55 FOULKES, Francis. *Efésios: introdução e comentário*, p. 45.
56 STOTT, John. *A mensagem de Efésios*, p. 20,21.
57 STOTT, John. *A mensagem de Efésios*, p. 22,23.
58 FOULKES, Francis. *Efésios: introdução e comentário*, p. 46.
59 FOULKES, Francis. *Efésios: introdução e comentário*, p. 46.
60 WIERSBE, Warren W. *Comentário bíblico expositivo*, p. 14.
61 HENDRIKSEN, William. *Efésios*, p. 116.
62 WIERSBE, Warren W. *Comentário bíblico expositivo*, p. 14,15.
63 FOULKES, Francis. *Efésios: introdução e comentário*, p. 48.
64 STOTT, John. *A mensagem de Efésios*, p. 26.
65 STOTT, John. *A mensagem de Efésios*, p. 27.
66 BARCLAY, William. *Palabras Griegas Del Nuevo Testamento*. Argentina: Casa Bautista de Publicaciones, 1977, p. 45.
67 TAYLOR, Willard H. *A epístola aos Efésios*, p. 128.
68 BARCLAY, William. *Galatas y Efesios*, p. 94.
69 HENDRIKSEN, William. *Efésios*, p. 117.
70 FOULKES, Francis. *Efésios: introdução e comentário*, p. 49.

Capítulo 2

A igreja de Deus, o povo mais poderoso do mundo
(Ef 1:15-23)

As orações de Paulo são o ponto culminante da sua teologia. A oração é o índice do seu senso de valores. Ela é o espelho da vida interior:[71] Em Efésios 1:1-14, Paulo mostra-nos que somos o povo mais rico do mundo. Mas, agora, ele pede para Deus abrir o nosso entendimento a fim de que saibamos que somos o povo mais poderoso do mundo. Ele começa com uma grande bênção (1:1-14) e continua com uma grande intercessão (1:15-23):[72]

Em suas orações na prisão (1:15-23; 3:14-21; Fp 1:9-11; Cl 1:9-12), Paulo menciona as bênçãos que deseja que os crentes conheçam. Em nenhuma das orações, Paulo pede bênçãos materiais.

Há dois extremos em relação à questão das bênçãos de Deus: primeiro, alguns cristãos apenas oram em favor de novas bênçãos espirituais, aparentemente ignorando o fato de que Deus já os abençoou em Cristo com toda sorte de bênção. Segundo, outros ficam negligentes e não demonstram vontade de conhecer nem de experimentar com maior profundidade seus privilégios cristãos:[73]

Paulo não pede o que não temos, mas pede que Deus abra os olhos do nosso coração para sabermos o que já temos. John Stott está coberto de razão quando escreve: "A fé vai além da razão, mas baseia-se nela. O conhecimento é a escada através da qual a fé sobe mais alto, é o trampolim de onde pula mais longe":[74] A palavra grega usada por Paulo, *epignosis,* "conhecimento", deve ser distinguida de *gnosis,* cuja tradução também é "conhecimento". A palavra composta *epignosis* é uma amplitude de *gnosis,* denotando um conhecimento mais amplo e mais completo. Esse conhecimento pleno é aquele que advém de intimidade experimental. É mais do que conhecimento acadêmico e teórico. É pessoal:[75]

Paulo ora para a igreja ter discernimento espiritual

O apóstolo faz um duplo pedido em sua oração:

Em primeiro lugar, *ele pede Espírito de sabedoria* (1:17). "Para que o Deus de nosso Senhor Jesus Cristo, o Pai da glória, vos dê o espírito de sabedoria." Aristóteles definia *sofia,* "sabedoria", como o conhecimento das coisas mais preciosas. Cícero, como o conhecimento das coisas humanas e divinas. A sabedoria é a resposta aos problemas eternos da vida e da morte, de Deus e do homem, do tempo e da eternidade:[76] Sabedoria é o conhecimento iluminado por Deus. A mente natural não consegue discernir as coisas espirituais. Somos como Geazi; só vemos com os olhos da carne, mas não com os olhos espirituais. Sabedoria é olhar para a vida com os olhos de Deus. É ver a vida como Deus a vê. Sabedoria não é sinônimo de conhecimento. Há muitas pessoas que têm conhecimento, mas são tolas. A sabedoria é o uso correto do conhecimento. Russell Shedd entende que sabedoria representa olhar para a vida com os olhos de Deus e perceber o que ele está fazendo, para, depois, envolver-se nisso:[77]

Em segundo lugar, *ele pede Espírito de revelação* (1:17b). "[...] e de revelação no pleno conhecimento dele." Só o Espírito de Deus pode abrir as cortinas da nossa alma para que entendamos as riquezas de Deus. Paulo não fala aqui da prática de buscar novas revelações à parte das Escrituras. Ele não está falando que os crentes devem buscar outra fonte de conhecimento da vontade de Deus além das Escrituras. Espírito de revelação, segundo Russell Shedd, quer dizer a visão de todas as coisas, não apenas deste mundo que está desaparecendo, segundo Paulo (1Co 7:31), mas a visão dos valores tal como eles são traduzidos no céu:[78] John Rockefeller foi o primeiro bilionário do mundo. Por muitos anos, ele viveu comendo apenas bolachas de água e sal e tomando leite por causa de sua enfermidade e preocupação com as posses. Ele raramente tinha uma boa noite de sono. Era rico, mas miserável. Quando ele começou a distribuir sua riqueza com outros em obras de filantropia e permitiu que outros fossem abençoados com sua riqueza, curou-se e viveu até alcançar uma ditosa velhice.

Paulo ora para a igreja conhecer Deus plenamente (1:17)

Uma coisa é conhecer a respeito de Deus; outra, bem diferente, é conhecer a Deus. O ateu diz que não há Deus para se conhecer. O agnóstico, diz que, se há Deus, ele não pode ser conhecido. Mas Paulo encontrou Deus na pessoa de Jesus e entendeu que o homem não pode conhecer nem a si mesmo sem o verdadeiro conhecimento de Deus. O conhecimento de Deus é a própria essência da vida eterna. Conhecer a Deus pessoalmente é salvação (Jo 17:3). Conhecer a Deus progressivamente é santificação (Os 6:3). Conhecer a Deus perfeitamente é glorificação (1Co 13:9-12):[79] Paulo reúne três grandes verdades que deseja que os crentes saibam. Elas referem-se ao chamamento, à herança e ao poder de Deus.

A esperança do chamamento de Deus (1:18)

Paulo escreve: "Iluminados os olhos do vosso coração, para que saibais qual é a esperança do chamamento" (1:18a). O mundo antigo era um mundo sem esperança (2:12). Dizia uma expressão popular: "Nunca ter nascido é a maior felicidade; a segunda, é morrer ao nascer":[80] Para os crentes, contudo, o futuro era glorioso: pois Deus Pai nos escolheu e nos adotou; Deus Filho nos redimiu e nos perdoou, e Deus Espírito Santo nos selou e nos deu sua garantia. O futuro não era mais algo que se devia temer ou que se devia aceitar com resignação. Deveria, agora, ser encarado com anelo e segurança.

Paulo ora para que a igreja venha a conhecer e a experimentar essa gloriosa esperança. Ele ora para que a igreja possa usufruir toda sua riqueza espiritual. Deus chamou-nos a alguma coisa e para alguma coisa. Deus chamou-nos para sermos de Jesus Cristo e para a santidade. Deus chamou-nos para a liberdade e para paz. Deus chamou-nos para o sofrimento e para o seu reino de glória. Tudo isso estava na mente de Deus quando nos chamou:[81] Concordo com

Francis Foulkes quando ele diz que essa esperança não é apenas um vago e melancólico anseio pelo triunfo da bondade, mas algo garantido pela possessão presente do Espírito como garantia:[82]

A glória da herança de Deus (1:18)

John Stott é de opinião que a expressão grega "Quais são as riquezas da glória da sua herança nos santos" (1:18b) pode se referir tanto à herança de Deus como à nossa herança, ou seja, à herança que ele recebe ou à herança que ele outorga:[83] Francis Foulkes diz que alguns interpretam essa declaração com o sentido de aquilo que Deus possui em seus santos. Eles são "a porção do Senhor", como o versículo 11 mostrou. Mas essa ideia dificilmente se encaixa a este contexto:[84] Meu entendimento é que Paulo está falando que Deus é a nossa herança. Salmo 16:5 diz que Deus é a nossa herança. Mas, agora, Paulo diz que nós somos a herança de Deus. Aqui não é a herança que Deus outorga, mas a herança que ele recebe. Essa frase não se refere à nossa herança em Cristo (1:11), mas à sua herança em nós. Essa é uma tremenda verdade. Deus olha para nós e vê em nós sua gloriosa riqueza, sua preciosa herança. Jesus verá o fruto do seu penoso trabalho e ficará satisfeito (Is 53:11). Paulo expressa, aqui, o desejo de que os crentes compreendam quão preciosos eles são para Deus. Eles são o troféu da graça de Deus. O tesouro deles está em Deus, e, num sentido bem verdadeiro, o tesouro de Deus está nos santos:[85]

Paulo ora para que os crentes possam entender o quão preciosos eles são para Deus. Somos a igreja que Deus comprou com o sangue de seu amado Filho (At 20:28). Somos a noiva do Filho de Deus. O Senhor escolheu-nos para

EFÉSIOS — Igreja, a noiva gloriosa de Cristo

sermos a sua porção eterna. Ele nos fez troféus da sua graça e monumentos para a sua glória.

Se o chamamento aponta para o passado, a herança aponta para o futuro. Nós somos a riqueza de Deus, o presente de Deus, o tesouro de Deus, a menina dos olhos de Deus. Somos filhos, herdeiros, coerdeiros, santuários, ovelhas e a delícia de Deus.

A grandeza do poder de Deus (1:19-23)

Se o chamamento de Deus olha para o passado e a herança, para o futuro, o poder de Deus olha para o presente:[86] Paulo enfatiza o poder de Deus usando quatro palavras distintas para a palavra *poder* no versículo 19: "E qual é a suprema grandeza do seu poder para conosco, os que cremos, segundo a atuação da força do seu poder": 1) *dunamis* — traz a ideia de uma dinamite, um poder irresistível; 2) *energeia* — o poder que trabalha como uma energia; 3) *kratos* — poder ou força exercida; 4) *ischus* — poder, grande força inerente:[87] Paulo faz uso dessas quatro palavras para enfatizar a plenitude e a certeza desse poder. Esse poder é tão tremendo que é o mesmo que Deus exerceu para ressuscitar seu Filho.

O poder de Deus que está à nossa disposição é visto em três eventos sucessivos: a ressurreição de Cristo (1:20a); a ascensão e entronização de Cristo (1:20b,21); o senhorio de Cristo sobre a igreja e o universo (1:22,23).

Qual é a medida do poder de Deus? Algo do superlativo desse poder é ressaltado pelo notável acúmulo de termos: "suprema grandeza do seu poder", "atuação", "força", "poder" (1:19). Essa abundância de palavras sugere a ideia de poder cuja simples expressão exaure os recursos da linguagem e chega a desafiar a enumeração.

Qual é a suprema demonstração do poder de Deus? Leiamos o relato do apóstolo:

> Que atuou em Cristo, ressuscitando-o dentre os mortos e fazendo-o sentar à sua direita nos céus, muito acima de todo principado, autoridade, poder, domínio, e de todo nome que se possa ser pronunciado, não só nesta era, mas também na vindoura. Também sujeitou todas as coisas debaixo dos seus pés, para seja como o cabeça sobre todas as coisas, e o deu à Igreja, que é o seu corpo, a plenitude daquele que preenche tudo em todas as coisas (1:20-23).

O poder que atua nos crentes é o poder da ressurreição. É o poder que ressuscitou a Cristo dentre os mortos, assentou-o à direita de Deus e lhe deu a soberania sobre o Universo inteiro. Esse poder é como um caudal impetuoso que arrasta com sua força os obstáculos que encontra pelo caminho. F. F. Bruce afirma que a morte de Cristo é a principal demonstração do amor de Deus, mas a ressurreição de Cristo é a principal demonstração do poder de Deus:[88] Ao desenvolver esse tema, Paulo apresenta três afirmações a respeito do que Deus faz em Cristo e por seu intermédio:

Em primeiro lugar, *a ressurreição e exaltação de Cristo* (1:20,21). A ressurreição autenticou o ministério do Senhor, selou sua obra de redenção, marcou o começo de sua glorificação e foi a confirmação pública de que o Pai aceitou seu sacrifício:[89] Depois de haver ressuscitado a Cristo dentre os mortos, Deus manifestou seu poder fazendo-o assentar-se "à sua direita" (1:20,21). A "direita" de Deus é uma figura de linguagem indicando o lugar de supremo privilégio e autoridade. A mais alta honra e autoridade no Universo foi tributada a Cristo (Mt 28:18). Ele foi entronizado acima de todo principado e autoridade (1:21). Cristo domina sobre todos os seres inteligentes, bons e maus, angelicais e demoníacos.

Em segundo lugar, *o domínio universal de Cristo* (1:22). A exaltação de Cristo abrange o soberano domínio sobre toda a criação. A cabeça que um dia foi coroada com espinhos leva agora o diadema da soberania universal:[90] Todas as coisas estão sujeitas a Cristo. Todo o joelho se dobra diante dele no céu, na terra e debaixo da terra (Fp 2:9-11). Tanto a igreja como o Universo têm em Cristo o mesmo Cabeça. Todas as coisas estão debaixo dos seus pés. Isso significa que tudo está sujeito e subordinado a ele. As palavras implicam absoluta sujeição. A mais alta honra e autoridade no Universo foi tributada a Cristo (Mt 28:18):[91]

Em terceiro lugar, *a preeminência de Cristo sobre a igreja* (1:22,23). Deus estabeleceu uma relação singular entre Cristo e a igreja. Cristo é o grande dom de Deus para a igreja:[92] O fato de Cristo ser o Cabeça da igreja ressalta três coisas: primeiro, Cristo tem autoridade suprema sobre a igreja. Ele a governa, guia e dirige. Segundo, entre Cristo e a igreja existe uma união vital, tão íntima e real como é a da cabeça com o corpo. É uma união íntima, terna e indissolúvel. Terceiro, a igreja é inteiramente dependente de Cristo. De Cristo, a igreja deriva sua vida, seu poder e tudo quanto é necessário à sua existência:[93] Concordo com John Stott quando diz que tanto o Universo quanto a igreja têm em Jesus Cristo o mesmo Cabeça:[94]

A igreja é a plenitude de Cristo. A igreja está cheia da sua presença, animada pela sua vida, cheia com os seus dons, poder e graça:[95] A igreja é o prolongamento da encarnação de Cristo. A igreja é o seu corpo em ação na terra. A igreja está cheia da própria Trindade: Filho (1:23), Pai (3:19) e Espírito Santo (5:18). Concordo com William Hendriksen quando diz que, no tocante à sua essência divina, Cristo em sentido algum pode depender da igreja nem ser completado por ela. Contudo, como Esposo, ele é incompleto sem a esposa; como Videira, não se pode pensar nele sem os ramos; como Pastor, não se pode vê-lo sem suas ovelhas; e também como Cabeça, ele encontra sua plena expressão em seu corpo, a igreja:[96]

À luz do que Paulo pediu, como você avalia a sua vida espiritual? Você tem usufruído as riquezas que tem em Cristo? Você tem crescido no relacionamento íntimo com Deus? Você conhece mais a Deus? Você tem fome de Deus? Você compreende a esperança do seu chamado: de onde Deus o chamou, para que Deus o chamou e para onde Deus o chamou? Você compreende o quão valioso você é para Deus? Você tem experimentado de forma prática o poder da ressurreição em sua vida?

Notas do capítulo 2

[71] VAUGHAN, Curtis. *Efésios*, p. 36.
[72] STOTT, John. *A mensagem de Efésios*, p. 29.
[73] STOTT, John. *A mensagem de Efésios*, p. 29.

[74] STOTT, John. *A mensagem de Efésios*, p. 42.
[75] TAYLOR, Willard H. *A epístola aos Efésios*, p. 130.
[76] BARCLAY, William. *Galatas y Efesios*, p. 88.
[77] SHEDD, Russell. *Tão grande salvação*, p. 25.
[78] RUSSELL Shedd. *Tão grande salvação*, p. 26.
[79] WIERSBE, Warren W. *Comentário bíblico expositivo*, p. 18.
[80] VAUGHAN, Curtis. *Efésios*, p. 40.
[81] STOTT, John. *A mensagem de Efésios*, p. 33.
[82] FOULKES, Francis. *Efésios: introdução e comentário*, p. 53.
[83] STOTT, John. *A mensagem de Efésios*, p. 33.
[84] FOULKES, Francis. *Efésios: introdução e comentário*, p. 53.
[85] VAUGHAN, Curtis. *Efésios*, p. 42.
[86] STOTT, John. *A mensagem de Efésios*, p. 34.
[87] HENDRIKSEN, William. *Efésios*, p. 127.
[88] BRUCE, F. F. *The Epistle to the Ephesians*. New York: Fleming H. Revell Company, 1961, p. 30.
[89] VAUGHAN, Curtis. *Efésios*, p. 44.
[90] VAUGHAN, Curtis. *Efésios*, p. 45.
[91] VAUGHAN, Curtis. *Efésios*, p. 44.
[92] VAUGHAN, Curtis. *Efésios*, p. 46.
[93] VAUGHAN, Curtis. *Efésios*, p. 47.
[94] STOTT, John. *A mensagem de Efésios*, p. 37.
[95] VAUGHAN, Curtis. *Efésios*, p. 48.
[96] HENDRIKSEN, William. *Efésios*, p. 132.

Capítulo 3

A igreja de Deus, o povo chamado da sepultura para o trono
(Ef 2:1-10)

O PRIMEIRO CAPÍTULO DE EFÉSIOS acentua o amplo alcance do plano de Deus, o qual inclui o Universo todo e se estende de eternidade a eternidade. O capítulo dois mostra a historificação desse plano na vida de seu povo, por meio da ressurreição espiritual dos crentes:[97]

Tendo descrito nossa possessão espiritual em Cristo, Paulo volta-se, agora, para nossa posição em Cristo. Fomos tirados da sepultura e conduzidos ao trono. Paulo, primeiro, sonda as profundezas do pessimismo acerca do homem e, depois, sobe às alturas do otimismo acerca de Deus:[98]

O que Paulo faz nesse parágrafo é pintar um contraste vívido entre o que o homem é por natureza e o que pode vir a ser mediante a graça de Deus. Curtis Vaughan diz que as duas ideias dominantes são "Estando vós mortos" (2:1) e "Ele [Deus] vos deu vida" (2:4,5). O parágrafo todo é uma espécie de biografia espiritual contando como eram os destinatários da carta de Paulo antes de conhecer o evangelho de Cristo (2:1-3), o que vieram a ser "em Cristo Jesus" (2:4-6) e qual o propósito de Deus em realizar tão extraordinária transformação (2:7-10):[99]

Warren Wiersbe sugere uma percepção preciosa desse texto. Ele fala de quatro grandes obras realizadas na vida do homem que saiu da sepultura para o trono: a obra do pecado contra nós, a obra de Deus por nós, a obra de Deus em nós e a obra de Deus por nosso intermédio:[100]

A obra do pecado contra nós (2:1-3)

A condição do homem é desesperadora sem Deus. O diagnóstico que Paulo faz se refere ao homem caído em uma sociedade caída em todos os tempos e em todos os lugares. Esse é um retrato da condição humana universal:[101] O pecado não é como uma dessas enfermidades que alguns homens contraem e outros não. É algo em que todo ser humano está envolvido e de que todo ser humano é culpado. O pecado não é uma simples erupção esporádica, mas o estado, a condição universal do homem:[102] Paulo elenca quatro fatos dramáticos a respeito do homem antes de sua conversão:

Em primeiro lugar, *o homem está morto* (2:1). "Ele vos deu vida, estando vós mortos nas vossas transgressões e pecados." Antes de argumentar o sentido dessa morte espiritual, deixe-me explicar o que ela não é. Ela não quer dizer que o homem que está morto em seus pecados não possa fazer coisas boas. O indivíduo não regenerado pode levar uma vida moralmente aprovada, civilmente decente e familiarmente responsável. Uma pessoa não regenerada pode ser um bom cidadão, um bom pai, uma boa mãe, um bom filho. Os pecadores podem fazer o bem àqueles que lhes fazem bem (Lc 6:33). Às vezes, os bárbaros revelam "muita bondade" (At 28:2). Portanto, o que quer dizer a expressão "Mortos nas vossas transgressões e pecados"? É claro que Paulo está falando de uma morte espiritual. Antes de Cristo, o homem está vivo para as atrações do pecado, mas morto para Deus. O homem é incapaz de entender e apreciar as coisas espirituais. Ele não possui vida espiritual nem pode fazer nada que possa agradar a Deus. Da mesma maneira que a pessoa morta fisicamente não responde a estímulos físicos, também a pessoa morta espiritualmente é incapaz de responder a estímulos espirituais.

Um cadáver não vê, não ouve, não sente, não tem fome nem sede. Ele está morto. Também uma pessoa morta espiritualmente não tem percepção para as coisas espirituais nem gosto por elas. Uma pessoa morta espiritualmente não tem apetite pelas coisas espirituais. Não tem prazer nas coisas lá do alto. As iguarias do banquete de Deus não lhe apetecem. O indivíduo morto em suas transgressões e pecados não se deleita em Deus.

A causa da morte são as transgressões e os pecados. A palavra grega *paraptoma*, "transgressão", quer dizer queda, dar um passo em falso que envolve ultrapassar uma fronteira conhecida ou desviar do caminho certo. Já a palavra grega *hamartia*, "pecado", quer dizer errar o alvo, ou seja, ficar aquém de um padrão. Pecado é não chegar a ser o que deveria ou poderia ser:[103] Russell Shedd ilustra esse "errar o alvo" com a história de dois caçadores que estão à procura de um coelho mas matam um ao outro em vez de ao coelho. A intenção é completamente contrariada, frustrada; isso é o pecado:[104]

William Barclay tem razão quando diz que, no Novo Testamento, *hamartia* não descreve um ato definido de pecado, mas um estado de pecado, do qual dimanam as ações pecaminosas:[105] Juntas, as duas palavras *paraptoma* e *hamartia* abrangem os aspectos positivo e negativo, ou ativo e passivo, do mau procedimento do homem, ou seja, nossos pecados de comissão e omissão. Diante de Deus somos tanto rebeldes como fracassados. Como resultado disso, estamos mortos:[106]

O salário do pecado é a morte (Rm 6:23). Morte é separação. Da mesma forma que a morte separa o corpo da alma, a morte espiritual separa o homem de Deus, a fonte da vida. É como se o mundo todo fosse um imenso cemitério e cada pedra tumular tivesse a mesma inscrição: "Morto por causa do pecado":[107]

É importante ressaltar que o incrédulo não está apenas doente; ele está morto. Ele não necessita apenas de restauração, mas de ressurreição:[108] Não basta uma reforma; ele precisa nascer de novo. O mundo é um grande cemitério cheio de pessoas mortas espiritualmente. Embora elas estejam vivas fisicamente, estão desprovidas de vida espiritual. Embora estejam em plena atividade mental, estão completamente mortas espiritualmente.

Em segundo lugar, *o homem é desobediente* (2:2,3a). "Nos quais andastes no passado, no caminho deste mundo, segundo o príncipe do poderio do ar, do espírito que agora age nos filhos da desobediência, entre os quais todos nós também antes andávamos." Há três forças que levam o homem a essa desobediência: o mundo, o Diabo e a carne.

Vejamos o que é o mundo. O mundo aqui não é sinônimo da natureza criada por Deus. O mundo é o sistema que pressiona cada pessoa para se conformar aos seus valores (Rm 12:2). O apóstolo João é enfático ao dizer que quem ama o mundo não pode amar a Deus (1Jo 2:15-17). Tiago declara com a mesma ênfase que quem é amigo do mundo é inimigo de Deus (Tg 4:4). Sempre que os homens são desumanizados — pela opressão política, econômica, moral e social, vemos a ação do mundo. Trata-se de uma escravidão cultural. As pessoas são escravas desse sistema do mesmo modo que os súditos eram arrastados pelos generais romanos por grossas correntes amarradas no pescoço depois de uma conquista:[109] John Stott esclarece esse ponto com as seguintes palavras:

> Sempre que os seres humanos são desumanizados — pela opressão política ou pela tirania burocrática, por um ponto de vista secular (repudiando a Deus), ou amoral (repudiando absolutos), ou materialista (glorificando o mercado consumidor), pela pobreza, pela fome ou pelo desemprego, pela discriminação racial ou por qualquer forma de injustiça — aí podemos detetar os valores subumanos do "presente século" e "deste mundo":[110]

Vejamos acerca do Diabo. Trata-se do espírito que atua nos filhos da desobediência. O Diabo é o patrono dos desobedientes. Ele rebelou-se contra Deus e deseja que os homens também desobedeçam a Deus. Ele tentou Eva no Éden com a mentira e levou nossos pais à desobediência. O Diabo é um inimigo invisível, porém real. Ele não dorme nem tira férias. Ele é violento como um dragão e venenoso como uma serpente. Ele ruge como leão e se apresenta travestido até de anjo de luz. Não podemos subestimar seus desígnios; antes, devemos nos acautelar, sabendo que esse arqui-inimigo veio para roubar, matar e destruir.

Vejamos a respeito da carne. A carne não é o nosso corpo, mas a nossa natureza caída com a qual nascemos (Sl 51:5; 58:3) e que deseja controlar a nossa mente e o nosso corpo, levando-nos a desobedecer a Deus. Há um impulso em nosso interior para fazer o mal. O mal não está apenas nas estruturas exteriores a nós, mas, sobretudo, procede do interior do nosso próprio coração. A inclinação da nossa natureza é a inimizade contra Deus. Praticamos o mal porque a inclinação do nosso coração é toda para o mal. O homem não pode mudar sua natureza. O profeta Jeremias pergunta: "Pode o etíope mudar a sua pele ou o leopardo as suas pintas? Poderíeis vós fazer o bem, estando treinados para fazer o mal?" (Jr 13:23).

Em terceiro lugar, *o homem é depravado* (2:3b). "Seguindo os desejos carnais, fazendo a vontade da carne e da mente." O homem não convertido vive para agradar a vontade da carne e os desejos do pensamento. Suas ações são pecaminosas porque seus desejos são pecaminosos. O homem é escravo do pecado. Ele anda com o pescoço na coleira do Diabo e no cabresto do pecado. O homem está em estado de depravação total. Todas as áreas da sua vida foram afetadas pelo pecado: razão, emoção e volição. Isso não quer dizer que o incrédulo não possa fazer o bem natural, social e moral. Ele sensibiliza-se com as causas sociais. Ele compadece-se. Ele ajuda as pessoas. Mas ele não pratica obras com o reconhecimento de que são para a glória de Deus nem com gratidão pela salvação.

John Stott conclui esse ponto dizendo que, antes de Jesus Cristo nos libertar, estávamos sujeitos a influências opressoras tanto internas como externas. No exterior, estava o *mundo* (a cultura secular prevalecente); no interior, estava a *carne* (nossa natureza caída); e, além desses dois, operando ativamente por meio dessas influências, havia aquele espírito maligno, o *Diabo,* o príncipe do reino das trevas, que nos mantinha em cativeiro:[111]

Em quarto lugar, *o homem está condenado* (2:3c). "E éramos por natureza filhos da ira, assim como os demais." O homem não convertido, por natureza, é filho da ira e, pelas obras, é filho da desobediência. A pessoa incrédula, não salva, já está condenada (Jo 3:18). À parte de Cristo, o homem está morto por causa do pecado, escravizado pelo mundo, pela carne e pelo Diabo, além de condenado sob a ira de Deus:[112] A ira de Deus é sua reação pessoal frente a qualquer pecado, qualquer rebelião contra ele:[113] É sua santa repulsa a tudo aquilo que conspira contra sua santidade. A ira de Deus não é apenas para esta vida, mas também para a era vindoura. Aqueles que vivem debaixo da ira de Deus são entregues a si mesmos pela escolha deliberada que fizeram de rejeitar o conhecimento de Deus e de se entregar a toda sorte de idolatria e devassidão; além disso, terão de suportar por toda a eternidade a manifestação plena do furor do Deus todo-poderoso.

A obra de Deus por nós (2:4-9)

Somos redimidos por quatro atividades que Deus realizou em nosso favor, salvando-nos das consequências dos nossos pecados. Deus oferece vida aos mortos, libertação aos cativos e perdão aos condenados. Paulo, agora, contrasta o que somos por natureza com o que somos pela graça, a condição humana com a compaixão divina, a ira de Deus com o amor de Deus.

Curtis Vaughan afirma com acerto que, nesse parágrafo, Paulo, admiravelmente, mostra-nos o contraste entre a condição atual dos crentes e sua condição anterior. Antes, eles eram objeto da ira de Deus; agora, são beneficiários de sua misericórdia (2:4). Antes, eles estavam presos pelas garras da morte espiritual; agora, ressuscitaram para uma vida nova (2:5,6). Antes, eles eram escravos do pecado; agora, são salvos pela graça de Deus (2:5). Antes, eles caminhavam pela estrada dos desobedientes; agora, usufruem da companhia de Deus (2:5,6):[114] Quatro verdades gloriosas merecem destaque:

Em primeiro lugar, *Deus nos amou* (2:4). "Mas Deus, que é rico em misericórdia, pelo imenso amor com que nos amou." Por natureza, Deus é amor. Mas o amor de Deus na relação com os pecadores transforma-se em graça e misericórdia. Deus é rico em misericórdia (2:4) e em graça (2:7), e essas riquezas tornam possível a salvação do pecador. Somos salvos pela misericórdia e pela graça de Deus. Tanto a misericórdia como a graça vêm a nós por meio do sacrifício de Jesus Cristo na cruz. Foi no Calvário que Deus demonstrou seu repúdio ao pecado e seu amor pelos pecadores.

Paulo não só fala sobre a nossa salvação, mas fala também sobre a motivação de Deus em nos salvar e enumera quatro palavras: amor, misericórdia, graça e bondade. Ao ressuscitar a Cristo, Deus demonstrou a suprema grandeza de seu poder (1:19,20), e ele, ao nos salvar, demonstrou a suprema riqueza de sua graça (2:7):[115]

Em segundo lugar, *Deus nos ressuscitou* (2:5). "Estando nós ainda mortos em nossos pecados, deu-nos vida juntamente com Cristo (pela graça sois salvos)." Deus tirou-nos da sepultura espiritual em que o pecado nos havia posto. Deus realizou uma poderosa ressurreição espiritual em nós por meio do poder do Espírito Santo. Quando cremos em Cristo, passamos da morte para a vida (Jo 5:24). Recebemos vida nova: a vida de Deus em nós.

Em terceiro lugar, *Deus nos exaltou* (2:6). "E nos ressuscitou juntamente com ele, e com ele nos fez assentar nas regiões celestiais em Cristo Jesus." Não só saímos da sepultura e fomos ressuscitados, mas também fomos exaltados. Porque estamos unidos a Cristo, somos exaltados com ele. Agora, assentamo-nos com ele nas regiões celestiais, acima de todo principado e potestade. As três fases da exaltação de Cristo — ressurreição, ascensão e assentar-se no trono — agora são repetidas na vida dos salvos — em Cristo, Deus deu-nos vida (2:5), ressuscitou-nos (2:6a) e fez-nos assentar nas regiões celestiais (2:6b). Esses três eventos históricos — "deu-nos vida", "ressuscitou-nos" e "fez-nos assentar" — são os degraus da exaltação!

Em quarto lugar, *Deus nos guardou* (2:7-9). "Para mostrar nos séculos vindouros a suprema riqueza da sua graça, pela sua bondade para conosco em Cristo Jesus. Porque pela graça sois salvos, por meio da fé, e isto não vem de vós, é dom de Deus; não vem das obras, para que ninguém se orgulhe." O último propósito de Deus em nossa salvação é que por toda a eternidade a igreja possa glorificar sua graça (1:6,12,14). A meta principal de Deus na nossa salvação é sua própria glória. Concordo com John Stott quando diz que não podemos empertigar-nos no céu como pavões. O céu está cheio das façanhas de Cristo e dos louvores de Deus. Realmente, haverá uma demonstração no céu. Não uma demonstração de nós mesmos, mas, sim, uma demonstração da incomparável riqueza da graça, da misericórdia e da bondade de Deus por meio de Jesus Cristo:[116]

A salvação é um presente, não uma recompensa. Certa feita, perguntaram a uma mulher romana: "Onde estão as suas joias?" Ela chamou seus filhos e, apontando para eles, disse: "Eis aqui as minhas joias":[117] Somos as joias preciosas de Deus. Somos os troféus da sua graça. Para reforçar a declaração positiva de que fomos salvos somente pela graça de Deus por meio da confiança em Cristo, Paulo acrescentou duas negações que se equilibram. A primeira é: "E isto não vem de vós, é dom de Deus" (2:8b); a segunda é: "Não vem das obras, para que ninguém se orgulhe" (2:9):[118]

A salvação não pode ser pelas obras, porque a obra da salvação já foi plenamente realizada por Cristo na cruz (Jo 19:30). Não podemos acrescentar mais nada à obra completa de Cristo. Agora não existe mais necessidade de sacrifícios e rituais. Fomos reconciliados com Deus. O véu do templo foi rasgado. Pela graça, somos salvos. Tanto a fé como a salvação são dádivas de Deus.

A salvação é pela graça, mas também "por meio da fé". É a graça que nos salva pela instrumentalidade da fé. É bem conhecida a expressão usada por Calvino: "A fé traz a Deus uma pessoa vazia para que se possa encher das bênçãos de Cristo":[119] É muito importante ressaltar que Paulo não está falando de qualquer tipo de fé. A questão não é a fé, mas o objeto da fé. Não é fé na fé. Não é fé nos ídolos. Não é fé nos ancestrais. Não é fé na confissão positiva. Não é fé nos méritos. É fé em Cristo, o Salvador!

A obra de Deus em nós (2:10a)

O apóstolo Paulo diz: "Pois somos feitura dele, criados em Cristo Jesus" (2:10a; ARA). A palavra grega para "feitura" é *poiema,* que quer dizer "poema". Somos a obra de arte de Deus, a obra-prima do Todo-Poderoso. A salvação é a nova criação de Deus. Não criamos a nós mesmos. Não produzimos vida em nós mesmos. A salvação é uma obra exclusiva de Deus por nós e em nós. Deus está trabalhando em nós. Ele ainda não terminou de escrever o último capítulo da nossa vida. Seu propósito eterno não é só nos levar para a glória, mas nos transformar à imagem do Rei da glória.

Muitas pessoas olharam para Abraão e viram nele um velho senil, sonhando em ser pai aos cem anos de idade. Mas Abraão acreditou contra toda a esperança e tornou-se um gigante na fé, o pai de todos os que creem. Para muitos, Moisés era um louco desvairado ao deixar as riquezas do Egito para esperar uma recompensa espiritual e eterna. Mas ele abdicou dos tesouros da terra para ser um visionário celestial e tomar posse da cidade construída não por mãos de homem, mas cujo arquiteto e fundador é Deus. Muitos olhavam para Pedro apenas como um pescador rude, uma pedra bruta, mas Jesus fez dele uma joia preciosa, lapidada e rica para seu reino.

Deus predestinou-nos para sermos conformes à imagem de seu Filho (Rm 8:29). Deus está esculpindo em nós o caráter de Cristo pelo poder do Espírito Santo (2Co 3:18). O cinzel que Deus usa para nos transformar é sua Palavra. Deus põe-nos na bigorna do ferreiro para transformar-nos, de um instrumento trincado e enferrujado, num instrumento útil para sua obra.

Aqui encontramos três letras "P": 1) o poeta — Deus; 2) a pena — Cristo; e 3) o poema — homem. Deus está trabalhando em nós. A conversão não é o fim da obra, mas o início dela. O que Deus começou na conversão e continua na santificação é consumado na glorificação. Um dia teremos um corpo semelhante ao corpo de glória de Cristo

(Fp 3:21) e então brilharemos como as estrelas (Dn 12:3) e como o Sol em seu fulgor.

O mesmo poder que tirou você da sepultura e lhe deu vida espiritual pode, agora, santificar sua vida para que você possa ser um belo poema para Deus! Deus trabalha em nós antes de trabalhar por nosso intermédio. Deus trabalhou oitenta anos em Moisés para usá-lo por quarenta anos. Deus trabalhou em José antes de levá-lo ao trono do Egito. Deus treinou Davi no deserto antes de pô-lo no trono de Israel. O poema de Deus, que é sua vida, ainda está sendo escrito.

A obra de Deus por nosso intermédio (2:10b)

"Criados em Cristo Jesus para as boas obras, previamente preparadas por Deus para que andássemos nelas" (2:10b). Não fomos salvos pelas boas obras, mas para as boas obras. É só pela fé que somos justificados, mas a fé que justifica jamais vem sozinha. Não somos salvos pela fé mais as obras, mas pela fé que produz obras. A salvação é uma obra monergística de Deus. Em relação à salvação, as obras são o resultado, não a causa. Nossas obras não nos levam para o céu, mas levamos nossas boas obras para o céu (Ap 14:13).

A tensão entre fé e obras não é nova. Lutero chegou a pensar que Tiago estivesse contradizendo Paulo (Rm 3:28; Tg 2:4; Rm 4:2,3; Tg 2:21). Logo, Lutero chamou a epístola de Tiago de carta de palha[120] e sentiu que a epístola de Tiago não tinha o peso do Evangelho:[121] Mas será que Tiago está contradizendo Paulo? Absolutamente não. Eles se complementam. Paulo falou que a causa da salvação é a justificação só pela fé. Tiago diz que a evidência da salvação são as obras da fé. Paulo olha para a causa da salvação e fala da fé. Tiago olha para a consequência da salvação e fala das obras. A questão levantada por Paulo era: "Como a salvação é recebida?" A resposta é: "Só pela fé". A pergunta de Tiago era: "Como essa fé verdadeira é reconhecida?" A resposta é: "Pelas obras!" Assim, Tiago e Paulo não estão se contradizendo, mas se completando. Somos justificados diante de Deus pela fé; somos justificados diante dos homens pelas obras. Deus pode ver nossa fé, mas os homens só podem ver nossas obras:[122]

John Stott é pertinente quando diz que antigamente andávamos em "transgressões e pecados" nos quais o Diabo nos prendera; agora andamos nas "boas obras", conforme Deus eternamente planejou que fizéssemos. O contraste é total. É um contraste entre dois estilos de vida (o mau e o bom) e, por trás deles, dois senhores (o Diabo e Deus). O que poderia ter ocasionado semelhante mudança? Apenas uma nova criação pela graça e pelo poder de Deus:[123]

Paulo fala sobre as obras que são resultado da salvação. Elas têm duas características:

Em primeiro lugar, elas são *boas* obras. Elas são boas em contraposição às obras inspiradas pelo Diabo, pelo mundo e pela carne (2:2,3). Essas obras não devem ser vistas em nós para nossa exaltação, mas para a glória de Deus (Mt 5:16).

Em segundo lugar, elas são *previamente preparadas por Deus*. Enquanto o descrente anda segundo o curso deste mundo, o crente anda nas boas obras que Deus preparou para ele de antemão. Isso quer dizer que Deus tem um plano para nossa vida e que podemos realizar, em vida, esse plano que Deus traçou para nós.

Notas do capítulo 3

97 VAUGHAN, Curtis. *Efésios*, p. 51.
98 STOTT, John. *A mensagem de Efésios*, p. 44.
99 VAUGHAN, Curtis. *Efésios*, p. 52.
100 WIERSBE, Warren W. *Comentário bíblico expositivo*, p. 21-26.
101 STOTT, John. *A mensagem de Efésios*, p. 45.
102 BARCLAY, William. *Palabras Griegas Del Nuevo Testamento*. Argentina: Causa Bautista de Publicaciones, 1977, p. 91.
103 BARCLAY, William. *Galatas y Efesios*, p. 102.
104 SHEDD, Russell. *Tão grande salvação*, p. 33,34.
105 BARCLAY, William. *Palabras Griegas Del Nuevo Testamento*, p. 91.
106 STOTT, John. *A mensagem de Efésios*, p. 46.
107 VAUGHAN, Curtis. *Efésios*, p. 52.
108 WIERSBE, Warren W. *Comentário bíblico expositivo*, p. 21.
109 SHEDD, Russell. *Tão grande salvação*, p. 34.
110 STOTT, John. *A mensagem de Efésios*, p. 47.
111 STOTT, John. *A mensagem de Efésios*, p. 49.
112 STOTT, John. *A mensagem de Efésios*, p. 52.
113 SHEDD, Russell. *Tão grande salvação*, p. 35.
114 VAUGHAN, Curtis. *Efésios*, p. 57.
115 STOTT, John. *A mensagem de Efésios*, p. 55.
116 STOTT, John. *A mensagem de Efésios*, p. 56.
117 HENDRIKSEN, William. *Efésios*, p. 151.
118 STOTT, John. *A mensagem de Efésios*, p. 56.
119 VAUGHAN, Curtis. *Efésios*, p. 62.
120 GIBSON, E. C. S. *The Pulpit Commentary*. Vol. 21. Grand Rapids, MI: Eerdmans Publishing Company, 1978, p. 38.
121 BOYCE, James Montgomery. *Creio sim, mas e daí?* São Paulo: Cultura Cristã, 1999, p. 55.
122 LOPES, Hernandes Dias. *Tiago — transformando provas em triunfo*. São Paulo: Hagnos, 2007, p. 46.
123 STOTT, John. *A mensagem de Efésios*, p. 57.

Capítulo 4

A maior missão de paz da história
(Ef 2:11-22)

O PRIMEIRO-MINISTRO DA INGLATERRA, Neville Chamberlain, retornou exultante da Alemanha, em setembro de 1938, proclamando que tinha convencido Adolf Hitler a desistir da guerra. Um ano depois, Hitler invadiu a Polônia, e, no dia 3 de setembro de 1939, a Inglaterra declarou guerra contra à Alemanha. A grande missão de paz de Chamberlain havia fracassado:[124]

A maioria das missões de paz do mundo tem fracassado. O mundo é como um terreno minado: há minas explodindo a todo momento. O Oriente Médio é como um barril de pólvora. As intervenções internacionais tentam

Efésios — Igreja, a noiva gloriosa de Cristo

implantar uma falsa paz sob o manto da opressão e da escravidão.

O único pacto de paz verdadeiro e eficaz foi o que Deus fez em Jesus. Essa é a maior missão de paz da história. Deus reconciliou judeus e gentios num único corpo e reconciliou o mundo consigo mesmo por meio de Jesus (2Co 5:18).

Warren Wiersbe diz que esse parágrafo pode ser sintetizado em três palavras: separação, reconciliação e unificação:[125]

Separação — o que os gentios eram (2:11,12)

Dois fatos importantes acerca dos gentios são destacados pelo apóstolo Paulo:

Em primeiro lugar, *os gentios eram objeto do desprezo dos judeus* (2:11). "Portanto, lembrai-vos de que, no passado, vós, gentios por natureza, chamados incircuncisão pelos que se chamam circuncisão, feita pela mão de homens." O desprezo que os judeus sentiam pelos gentios era tão grande que não era lícito a um judeu assistir a uma mulher gentia dar à luz. O casamento de um judeu com uma gentia correspondia à morte dele, e, imediatamente, celebrava-se o ritual do enterro do moço ou da moça. Entrar numa casa gentia tornava um judeu impuro e o deixava inapto para participar do culto público. Para os judeus, os gentios eram apenas combustível para o fogo do inferno. Quando Deus chamou a Abraão e lhe deu um sinal na carne (a circuncisão), não era para que os judeus se gloriassem disso, mas para que fossem uma bênção para os gentios. Mas Israel falhou em testemunhar para os gentios. Israel corrompeu-se como e com as nações gentílicas.

Em segundo lugar, *os gentios eram espiritualmente falidos* (2:12). "Estáveis naquele tempo sem Cristo, separados da comunidade de Israel, estranhos às alianças da promessa, sem esperança e sem Deus no mundo." Em Efésios 2:1-3, Paulo já havia descrito a terrível condição espiritual de gentios e judeus, mostrando que eles eram escravos da carne, do mundo e do Diabo. Agora, Paulo resume essa falência espiritual dos gentios em cinco frases descritivas e negativas.

Eles estavam sem Cristo. Eles estavam separados de Cristo, sem nenhuma relação com o Messias. Enquanto os judeus aguardavam o Messias, eles não o aguardavam nem sabiam nada sobre ele. Os efésios adoravam a Diana em vez de adorar a Cristo. Eles viviam imersos numa imensa escuridão espiritual.

Eles estavam separados da comunidade de Israel. Os gentios permaneciam fora do círculo daqueles que adoravam o Deus verdadeiro. Deus havia chamado a Israel e lhe dado sua lei e suas bênçãos. A única maneira de um gentio desfrutar dessas bênçãos era se fazer um prosélito.

Os gentios eram estranhos às alianças da promessa. Essas alianças foram os acordos relativos à promessa do Messias feitas a Abraão e aos seus descendentes. Os gentios eram estranhos e estrangeiros. Não havia alianças com eles.

Os gentios não tinham esperança. Os gentios não tinham esperança de uma vitória sobre a morte (1Ts 4:13-18). O futuro dos gentios era como uma noite sem estrelas:[126] O mundo gentio entregava-se ao prazer desbragado, ora por não crer na eternidade (Epicureus), ora por viver esmagado pelo fatalismo (estoicos).

Os gentios viviam sem Deus no mundo. Quem não tem Deus não tem esperança. Embora Paulo tenha usado a palavra grega *atheoi*, não devemos concluir que os gentios eram ateus. Eles tinham muitos deuses (Atos 17:16-23; 1Co 8:5), mas não conheciam o Deus verdadeiro nem tinham relação alguma com ele (1Co 8:4-6):[127] Seus deuses eram vingativos e caprichosos. Eles viviam sob o tacão das ameaças e debaixo da ditadura do medo. Eles não conheciam o Deus criador, sustentador, redentor e consolador. Curtis Vaughan diz corretamente que olhar para o futuro sem esperança já é algo terrível; mas não ter no coração a fé em Deus é inexprimivelmente trágico.

Reconciliação — o que Deus fez pelos gentios (2:13-18)

Em Efésios 2:13, a expressão "Mas agora" faz paralelo com "Mas Deus", de Efésios 2:4. Ambos os textos falam da graciosa intervenção de Deus em favor de pecadores perdidos. Inimizade é a palavra-chave nessa sessão. Primeiro, inimizade entre judeus e gentios (2:13-15) e, segundo, inimizade entre pecadores e Deus (2:16-18). Paulo descreve aqui a maior missão de paz da história. Jesus não apenas reconciliou judeus e gentios, mas também pôs ambos em um corpo: a igreja:[128]

A palavra grega *katallassein*, "reconciliação", usada pelo apóstolo Paulo, é muito sugestiva. No grego secular comum, tinha o sentido de trocar dinheiro ou trocar por dinheiro. Depois passou a representar a troca da inimizade pela amizade, ou seja, unir duas partes que estavam em conflito. Paulo usa a palavra *katallassein* para descrever o restabelecimento das relações entre o homem e Deus. Fato digno de nota é que a iniciativa e a ação dessa reconciliação é sempre divina, nunca do homem. Em Cristo, Deus não só estava reconciliando o mundo consigo, mas também enviando seus embaixadores ao mundo para rogar aos homens que se reconciliassem com ele. Portanto, a tarefa do pregador é quebrantar o coração dos homens à vista do coração quebrantado de Deus:[129]

A maior missão de paz da história

O apóstolo Paulo fala aqui sobre dois tipos de inimizade: Em primeiro lugar, *a inimizade entre judeus e gentios* (2:13-15). Acompanhemos o relato de Paulo:

> Mas agora, em Cristo Jesus, vós, que antes estáveis longe, viestes para perto pelo sangue de Cristo, pois ele é a nossa paz. De ambos os povos fez um só e, derrubando a parede de separação, em seu corpo desfez a inimizade; isto é, a lei dos mandamentos contidos em ordenanças, para em si mesmo criar dos dois um novo homem, fazendo assim a paz (2:13-15).

Durante séculos, os judeus foram diferentes dos gentios na religião, na indumentária, na dieta alimentar e nas leis. Pedro resistiu ao projeto de Deus de incluir os gentios em sua agenda evangelística (Atos 10). Os judeus crentes repreenderam Pedro por ter entrado na casa de um gentio para evangelizá-lo (Atos 11). Precisou haver uma conferência dos líderes da igreja, em Jerusalém, para discutir o lugar dos gentios na igreja (Atos 15). Foi então que eles concluíram que tanto judeus como gentios são salvos do mesmo modo — pela fé em Jesus Cristo. A inimizade tinha acabado. Agora, tanto judeus como gentios, em Cristo, são um novo homem (2:15). Os gentios não apenas subiram para a posição dos judeus, mas ambos se tornaram algo *novo* e maior; é relevante o fato de a palavra "novo" aqui ser *kainós,* que quer dizer novo não apenas no tempo, mas novo no sentido de que traz ao mundo um novo tipo de criação, uma nova qualidade de criação que não existia antes:[130]

Antes, sem Cristo, os gentios estavam distantes (2:13), mas, agora, por estarem em Cristo, se aproximaram (2:13). Essa aproximação não se deu pelos ensinos de Cristo, mas pelo sangue de Cristo (2:13).

A abolição das leis dos mandamentos não está em contradição com o que Jesus ensinou no sermão do monte. Ele aboliu as leis cerimoniais que separavam as pessoas umas das outras: circuncisão, sacrifícios, alimentos, regras acerca de pureza, festas, sábado (Cl. 2:11,16-21). A cruz cumpriu todas as prefigurações do sistema cerimonial do Antigo Testamento.

A lei fazia distinção entre puros e impuros. Os gentios eram impuros (Lv 11:44-47). No templo, havia uma parede que separava os gentios dos judeus (At 21:28-31). Para que judeus e gentios fossem reconciliados, essa parede foi derrubada, e o véu do templo foi rasgado. A maldição da lei caiu sobre Jesus. Ele se fez maldição em nosso lugar. Agora Jesus é Senhor de judeus e gentios (Rm 10:12,13). Jesus derrubou o muro que separava os judeus dos gentios. Ainda há muros que separam uma pessoa da outra. São os muros do preconceito, das ideologias e do racismo.

Em Jesus Cristo, judeus e gentios se tornaram *um*. Cristo estabeleceu a paz, pois ele é a nossa paz (2:14); ele fez a paz (2:15) e ele proclamou a paz (2:17).

Em segundo lugar, *a inimizade entre pecadores e Deus* (2:16-18). Paulo escreve: "E pela cruz reconciliar ambos com Deus em um só corpo, tendo por ela destruído a inimizade. E vindo ele, proclamou a paz a vós que estáveis longe e também para os que estavam perto; pois por meio dele ambos temos acesso ao Pai no mesmo Espírito". Não apenas os gentios precisam ser reconciliados com os judeus; mas ambos, judeus e gentios, precisam ser reconciliados com Deus (At 15:9,11). O mesmo ensina Paulo (Rm 3:22,23). A cruz de Cristo destruiu a inimizade do homem com Deus. A cruz de Cristo matou a inimizade que existia entre o homem e Deus:[131] A cruz foi onde Deus puniu o nosso pecado. A cruz foi onde Deus satisfez sua justiça. A cruz é onde nossos pecados foram condenados. Por intermédio da cruz somos reconciliados com Deus. Pela cruz, Deus é justo e ainda o nosso justificador. Não é Deus que se reconcilia com o homem, mas o homem que se reconcilia com Deus, pois foi o pecado que criou a separação e a inimizade. A iniciativa da reconciliação, entretanto, é de Deus (2:15,17; 2Co 5:18).

Paulo, agora, diz que por meio de Jesus, judeus e gentios têm acesso ao Pai em um Espírito (2:18). Francis Foulkes diz corretamente que "acesso" é provavelmente a melhor tradução da palavra grega *prosagoge*. Nas cortes orientais, havia um *prosagoge* que introduzia as pessoas à presença do rei. O pensamento pode ser o de considerar Cristo como o *prosagoge,* mas a forma da expressão na cláusula inteira sugere antes que, por meio dele, há um caminho de aproximação (3:12). Ele é a Porta, o Caminho para o Pai (Jo 10:7,9; 14:6); por intermédio dele, os homens, embora pecadores, uma vez reconciliados, podem se aproximar "com confiança do trono da graça" (Hb 4:16):[132]

Unificação — o que judeus e gentios são em Cristo (2:19-22)

Paulo usa três figuras para ilustrar a unidade de crentes judeus e gentios na igreja:[133]

Em primeiro lugar, *ele fala sobre uma nação* (2:19a). "Assim, não sois mais estrangeiro, nem imigrantes; pelo contrário, sois concidadãos dos santos." Israel era a nação escolhida de Deus, mas eles rejeitaram seu redentor e sofreram as consequências disso. O reino foi tirado deles e dado a outra nação (Mt 21:43). Essa outra nação é a igreja (1Pe 2:9). No Antigo Testamento, as nações foram formadas pelos três filhos de Noé: Sem, Cam e Jafé. No livro de Atos, vemos essas três famílias unidas em Cristo. Em Atos 8, um descendente de Cam é salvo, o ministro da fazenda da Etiópia. Em Atos 9, um descendente de Sem é salvo no caminho de Damasco, Saulo de Tarso, o qual se tornou o apóstolo Paulo. Em Atos 10, um descendente de Jafé é salvo, Cornélio. O pecado dividiu a humanidade, mas Cristo faz dela uma nova nação. Todos os crentes das diferentes nacionalidades formam a nação santa que é a igreja:[134] Francis Foulkes diz que em relação ao povo da aliança de Deus, os gentios eram *xenoi* e *paraikos*, "estrangeiros" e "imigrantes", isto é, pessoas que, ainda que vivessem no mesmo país, tinham, contudo, os mais superficiais direitos de cidadania. Essa era a situação anterior, mas, de agora em diante, já não o é. Nas palavras do apóstolo, agora são "concidadãos dos santos":[135]

Em segundo lugar, *Paulo fala sobre uma família* (2:19b). "[...] e membros da família de Deus." Pela fé, entramos para a família de Deus, e Deus tornou-se nosso Pai. Essa família está no céu e também na terra (3:15). Os crentes vivos na terra e os crentes que dormem em Cristo no céu; não importa a nacionalidade, somos todos irmãos, membros da mesma família:[136] Não deve haver mais barreira racial, cultural, linguística nem econômica. Somos um em Cristo. Temos o mesmo Espírito. Fomos salvos pelo mesmo sangue. Temos o mesmo Pai. Somos herdeiros da mesma herança. Moraremos juntos no mesmo lar.

Em terceiro lugar, *Paulo fala sobre um santuário* (2:20-22). Paulo conclui seu argumento ao escrever:

> Edificados sobre o fundamento dos apóstolos e profetas, sendo o próprio Cristo Jesus a principal pedra de esquina. Nele, o edifício inteiro, bem ajustado, cresce para ser templo santo no Senhor, no qual também vós, juntos, sois edificados para morada de Deus no Espírito (2:20-22).

No livro de Gênesis, Deus andou com seu povo (5:22,24; 6:9). No livro de Êxodo, Deus decidiu morar com seu povo (25:8). Deus habitou no tabernáculo (Ex 40:34-38) até que os pecados de Israel afastaram a glória de Deus do tabernáculo (1 Sm 4). A seguir, Deus habitou no templo (1Rs 8:1-11). Mas, novamente, Israel pecou, e a glória do Senhor abandonou o templo (Ez 10:18,19). Deus, então, habitou no corpo de seu Filho (Jo 1:14), a quem os homens despiram e pregaram na cruz. Hoje, por meio de seu Espírito, Deus habita na igreja, não no templo de pedra (At 7:48-50). Ele habita no coração daqueles que confiam em Cristo (1Co 6:19,20) e na igreja coletivamente (2:20-22):[137]

O santuário é edificado sobre a verdade revelada de Deus: o fundamento dos apóstolos (2:20). A igreja descansa sobre o acontecimento totalmente único de ser Cristo seu centro, mas na qual os apóstolos e profetas — na plenitude do Espírito, e guiados por ele, e fazendo suas obras em intimidade única com Cristo — tiveram uma participação indispensável e intransmissível. Aos apóstolos e profetas, a Palavra de Deus foi revelada de modo único (3:5). Por terem recebido, crido e testemunhado essa palavra, eles foram o início da construção sobre a qual outros deveriam ser edificados (Mt 16:16-18):[138] O alicerce desse santuário é o próprio Cristo, e não Pedro (2:20b). Cristo é quem dá à igreja unidade e solidez. Somos ainda um templo inacabado. Estamos ainda sendo edificados (2:22). Só depois, no novo céu e na nova terra, ouviremos a voz: "O tabernáculo de Deus está entre os homens" (Ap 21:3).

Francis Foulkes tem razão em dizer que a igreja não pode ser considerada um edifício terminado enquanto não chegar o dia final, quando o Senhor virá. Ela está crescendo mais e mais até que venha a ser o que está no propósito de

Deus:[139] A igreja cresce não como um edifício de pedras mortas, mas com um crescimento orgânico de pedras vivas (1Pe 25). Esse edifício cresce como um corpo (4:15). Esse edifício cresce para se tornar um santuário dedicado ao Senhor. Vale ressaltar que a palavra grega usada para santuário aqui não é a palavra comum para santuário, *hieron,* referindo-se ao templo e suas dependências de uma forma geral, mas a palavra *naos,* "o santuário interior", ou "santo dos santos". O templo, nos dias do Antigo Testamento, quando era considerado *naos,* era acima de tudo o lugar especial do encontro de Deus com seu povo. Era o lugar em que a glória de Deus descia e se manifestava pela sua presença. Cristo, ao vir à terra, tornou obsoleto o tabernáculo, templo feito por mãos de homens. Ele mesmo tornou-se o lugar de habitação divina entre os homens (Jo 1:14). E esse templo já não está mais entre os homens, pois Deus, agora, procura para sua habitação homens e mulheres regenerados pelo seu Espírito.

Warren Wiersbe sintetiza Efésios 2:1-22 em quatro pontos distintos: 1) da morte para a vida; 2) da escravidão para a liberdade; 3) do túmulo para o trono, e 4) da separação para a reconciliação:[140]

NOTAS DO CAPÍTULO 4

[124] WIERSBE, Warren W. *Comentário bíblico expositivo*, p. 27.
[125] WIERSBE, Warren W. *Comentário bíblico expositivo*, p. 27-32.
[126] VAUGHAN, Curtis. *Efésios*, p. 70.
[127] VAUGHAN, Curtis. *Efésios*, p. 71.
[128] WIERSBE, Warren W. *Comentário bíblico expositivo*, p. 28.
[129] BARCLAY, William. *Palabras Griegas Del Nuevo Testamento*, p. 127,128.
[130] FOULKES, Francis. *Efésios: introdução e comentário*, p. 71.
[131] FOULKES, Francis. *Efésios: introdução e comentário*, p. 71.
[132] FOULKES, Francis. *Efésios: introdução e comentário*, p. 72.
[133] WIERSBE, Warren W. *Comentário bíblico expositivo*, p. 30.
[134] WIERSBE, Warren W. *Comentário bíblico expositivo*, p. 30,31.
[135] FOULKES, Francis. *Efésios: introdução e comentário*, p. 72.
[136] WIERSBE, Warren W. *Comentário bíblico expositivo*, p. 31.
[137] WIERSBE, Warren W. *Comentário bíblico expositivo*, p. 31.
[138] FOULKES, Francis. *Efésios: introdução e comentário*, p. 73.
[139] FOULKES, Francis. *Efésios: introdução e comentário*, p. 74.
[140] WIERSBE, Warren W. *With the Word*. Nashville, TN: Thomas Nelson Publishers, 1991, p. 773,774.

Capítulo 5

O maior mistério da história
(Ef 3:1-13)

NO CAPÍTULO 1 DE EFÉSIOS, PAULO mostrou o plano eterno de Deus, escolhendo a igreja em Cristo para a salvação, e orou para que Deus mostrasse para a igreja a grandeza desse chamado, a riqueza dessa herança e a suprema grandeza do poder que estava à sua disposição.

No capítulo 2 de Efésios, Paulo mostrou o estado de perdição e condenação em que se encontravam judeus e gentios: escravos da carne, do mundo e do Diabo. Revelou, ainda, a triste situação dos gentios: separados de Deus e separados de Israel. E, ainda mais, mostrou como ambos, judeus e gentios, foram reconciliados para formar um só povo.

Agora, no capítulo 3, Paulo vai falar sobre o maior mistério de Deus na história. É por causa desse mistério que ele está preso. Martyn Lloyd-Jones diz que o que realmente pôs Paulo na prisão foi ele pregar por toda parte que o evangelho de Jesus Cristo era tanto para judeus como para gentios. Foi isso que, mais que qualquer outra coisa, enfureceu os judeus. Foi esse estilo de mensagem que culminou em sua prisão em Jerusalém e seu subsequente envio para Roma:[141]

Há aqui dois pontos a destacar: primeiro, Paulo considera-se prisioneiro de Cristo, não de Nero. Paulo não olhava para a vida a partir de uma perspectiva puramente humana. Ele sempre via a vida pela ótica da soberania de Deus (3:1; 4:1; 6:20). Segundo, Paulo considera-se prisioneiro por amor dos gentios. Os crentes de Éfeso podiam se perguntar: por que Paulo está preso em Roma? Por que Deus permite essas coisas? Paulo explica que está preso pela causa dos gentios. Ele está preso por pregar que os gentios foram reconciliados com Deus e reconciliados com os judeus para formar um só corpo em Cristo. Deus o chamou para pregar aos gentios (At 9:15; 26:13-18). Paulo, por ser apóstolo dos gentios, foi acusado, perseguido e preso pelos judeus (At 21:30-33). Os judeus, quando souberam que ele, Paulo, tinha levado o evangelho para os gentios, arremeteram-se contra ele (At 22:22,23). Paulo foi preso em Jerusalém, Cesareia e Roma por ter abraçado a causa gentia.

Esse parágrafo trata de dois privilégios que Deus concedeu a Paulo: *uma revelação* (3:2,3; 2) e *uma comissão* (3:7,8). Está claro que esses dois dons da graça — a revelação e a comissão —, o mistério revelado e o mistério confiado a ele, estão estreitamente relacionados entre si. Curtis Vaughan tem razão quando diz que falar de uma "dispensação" da graça de Deus é reconhecer que o favor de Deus não é concedido como um "luxo" para ser desfrutado privadamente, mas como um privilégio que deve ser jubilosamente compartilhado com outros (1Pe 4:10):[142]

O mistério revelado (3:1-6)

Convido você a ler, com atenção, um dos relatos mais sublimes das Escrituras e revelado ao apóstolo Paulo:

> Por essa razão, eu, Paulo, sou prisioneiro de Cristo Jesus por amor de vós, gentios. Se é que sabeis da dispensação da graça de Deus, que me foi concedida em vosso favor, e como por revelação me foi manifestado o mistério, conforme vos escrevi acima em poucas palavras, de forma que, quando ledes, podeis perceber a minha compreensão do mistério de Cristo. Esse é o mistério que em outras gerações não foi manifestado aos homens, da forma como se revelou agora no Espírito aos seus santos apóstolos e profetas, isto é, que os gentios são coerdeiros, membros do mesmo corpo e coparticipantes da promessa em Cristo Jesus por meio do evangelho (3:1-6).

A primeira coisa que Paulo faz é definir o que é mistério. Ele emprega três vezes nesse parágrafo a palavra *mistério* (3:3,4,9). A palavra grega *mysterion*, "mistério", tem um sentido diferente daquele entendido na língua portuguesa. As palavras em português e em grego não têm o mesmo sentido. Em português, ela quer dizer algo obscuro, oculto, secreto, enigmático, inexplicável, até mesmo incompreensível. No grego, quer dizer um segredo que já foi revelado.

Concordo com John Stott quando diz que no Cristianismo não existem "mistérios" esotéricos reservados para uma elite espiritual. Ao contrário, os "mistérios" cristãos são verdades que, embora estejam além da compreensão humana, foram revelados por Deus e, portanto, agora, pertencem abertamente a toda a igreja. Mais abertamente, *mysterion* é uma verdade que esteve oculta ao conhecimento ou entendimento dos homens, mas que, agora, foi desvendada pela revelação de Deus:[143]

O evangelho não está ao alcance apenas de uma elite espiritual, mas é aberto a toda a igreja (3:5). Nessa mesma linha de pensamento, John Mackay escreve: "Hoje em dia, entendemos por *mistério* alguma coisa estranha, inescrutável, enigmática, algo que necessita ser decifrado e para o qual é imprescindível uma chave. Para Paulo, entretanto, *mistério* era um segredo antes escondido e agora desvendado:[144]

Em seguida, Paulo diz que Cristo é a fonte e a substância do mistério. Paulo chama esse mistério de "o mistério de Cristo" (3:4). Essa é uma verdade revelada que Paulo não descobriu por pesquisa nem informação do homem, mas por revelação divina (3:3).

Paulo declara a natureza exata do mistério com ênfase e clareza no versículo 6: "Isto é, que os gentios são coerdeiros, membros do mesmo corpo e coparticipantes da promessa em Cristo Jesus por meio do evangelho". Assim, o mistério diz respeito a Cristo e a um único povo, judeu e gentio.

Para definir melhor esse mistério, Paulo usa no versículo 6 três expressões compostas paralelas: coerdeiros (*synkleronoma*), membros do mesmo corpo (*syssoma*) e coparticipantes (*summetocha*).

Resumindo, podemos dizer que *o mistério de Cristo* é a união completa entre judeus e gentios por meio da união de ambos com Cristo. É essa dupla união, com Cristo e entre eles, a essência do mistério. Deus revelara esse mistério a Paulo (3:3), aos santos apóstolos e profetas (3:5) e aos seus santos (Cl 1:26). Agora, portanto, esse mistério é uma possessão comum da igreja universal:[145]

O Antigo Testamento já revelara que Deus tinha um propósito para os gentios. Prometera que todas as famílias da terra seriam abençoadas através da posteridade de Abraão; que o Messias receberia as nações como sua herança; que Israel seria dado como uma luz para as nações. Jesus também falou da inclusão dos gentios e comissionou seus discípulos a fazer discípulos de todas as nações (Mt 28:18-20).

Mas o que é absolutamente novo é que a teocracia (a nação judaica sob o governo de Deus) terminaria e seria substituída por uma nova comunidade inter-racial, a igreja, e que essa igreja seria o *corpo de Cristo*. Judeus e gentios seriam incorporados em Cristo e em sua igreja em igualdade, sem qualquer distinção. Essa união completa entre judeus, gentios e Cristo era radicalmente nova, e Deus revelou-a a Paulo, vencendo o arraigado preconceito judaico. Em Efésios 3:5, Paulo diz que, agora, a luz brilha totalmente. A expressão "como" mostra que o sol da revelação está, agora, brilhando em seu pleno fulgor.

O mistério comissionado (3:7-13)

Tendo discorrido sobre o mistério revelado, leiamos, agora, o que diz o apóstolo Paulo sobre o mistério comissionado:

> Fui feito ministro desse evangelho, segundo o dom da graça de Deus, que me foi concedida conforme a atuação do seu poder. A mim, o menor de todos os santos, foi concedida a graça de anunciar aos gentios as riquezas insondáveis de Cristo e de mostrar a todas qual é a dispensação do mistério, que desde os séculos esteve oculto em Deus, que tudo criou, para que agora ela seja manifestada, por meio da

> igreja, aos principados e poderios nas regiões celestiais, segundo o eterno propósito que fez em Cristo Jesus nosso Senhor, no qual temos ousadia e acesso a Deus com confiança, pela fé que nele temos. Portanto, peço-vos que não vos desanimeis por causa das minhas tribulações por vossa causa; elas são a vossa glória (3:7-13).

No fim do versículo 6, Paulo equiparou o *mistério* ao *evangelho*. É por meio do evangelho que judeus e gentios são unidos a Cristo. O mistério foi a verdade revelada a Paulo, e o evangelho é a verdade proclamada por Paulo (3:7):[146]

O apóstolo Paulo fala sobre o grande privilégio de ser despenseiro desse mistério. Ele chama a si mesmo de "o menor de todos os santos" (3:8) ou o membro mais vil do povo santo, ou "menor do que o mínimo". O nome Paulo quer dizer pequeno. Segundo a tradição, ele era de pequena estatura. Sentia-se indigno por causa de seu passado (1Co 15:9). Ele disse acerca de seu passado: "Apesar de eu ter sido blasfemo, perseguidor e arrogante" (1Tm 1:13). Ao dizer que era o menor dos santos, Paulo não estava sendo nem hipócrita nem se afundando na autopiedade. Ele combina humildade pessoal com autoridade apostólica. Na verdade, ele, ao minimizar a si mesmo, engrandecia seu ofício.

Paulo ainda fala sobre a necessidade do poder de Deus para anunciar esse mistério. O ministério da pregação é um *dom*, mas não pode ser exercido sem *poder* (3:7). Paulo usa duas palavras gregas para definir poder: *energia* e *dinamis*. Ambas descrevem a invencibilidade do evangelho.

Paulo desenvolve o privilégio de pregar o evangelho em três etapas:

Em primeiro lugar, *pregar aos gentios o evangelho das insondáveis riquezas de Cristo* (3:8). O evangelho são boas-novas. Essas boas-novas têm que ver com as insondáveis riquezas de Cristo. O que são essas riquezas? 1) ressurreição da morte do pecado; 2) libertação da escravidão da carne, do mundo e do Diabo; 3) entronização vitoriosa com Cristo nas regiões celestiais; 4) reconciliação com Deus; 5) reconciliação uns com os outros — o fim da hostilidade, a derrubada do muro da inimizade; 6) o ingresso na família de Deus; 7) a herança gloriosa em Cristo no novo céu e na nova terra.

Essas riquezas são *anexniastos,* "insondáveis", ou seja, inesgotáveis, inexploráveis, inexauríveis. O sentido literal da palavra grega *anexniastos* é "cuja pista não pode ser achada". Como a terra é vasta demais para ser explorada; como o mar é profundo demais para ser sondado, também o é o evangelho de Cristo:[147] Ele está além do nosso entendimento. Não precisamos viver como mendigos já que temos as riquezas insondáveis desse evangelho bendito.

Em segundo lugar, *manifestar o mistério a todos os homens* (3:9). O versículo 9 não é a repetição do versículo 8. Há três diferenças revelantes: 1) a pregação do evangelho, agora, é definida não como *euangelizo*, mas, sim, como *photizo*. Agora, o pensamento muda do conteúdo da mensagem (boas-novas) para a condição daqueles aos quais é proclamada (nas trevas da ignorância e do pecado):[148] Concordo com o que disse Lenski: "Pregar o evangelho aos gentios era como expor o profundo mistério à plena luz do dia de maneira que todos pudessem vê-lo":[149] Essa era a missão que Paulo tinha recebido de Cristo: "Para lhes abrir os olhos a fim de que se convertam das trevas para a luz, e do poder de Satanás para Deus" (At 26:18). O Diabo cega o entendimento das pessoas (2Co 4:4). Evangelizar é levar luz onde há trevas (2Co 4:6), para que os olhos sejam abertos para ver. 2) Entre os versículos 8 e 9 há uma mudança de ênfase. No versículo 8, a mensagem de Paulo é Cristo; no versículo 9, a mensagem de Paulo é a igreja. 3) Paulo dirige seu ministério, no versículo 8, aos gentios e, no versículo 9, a todos os salvos sem distinção. Por isso Paulo menciona que o Deus que criou o Universo agora começou uma nova criação, a igreja, e, um dia, a completará. No final, Deus unirá todas as coisas em Cristo e debaixo de Cristo (1:9,10). Em Efésios 3:9, Paulo junta criação e redenção. O Deus que, no princípio, criou todas as coisas no fim criará todas as coisas de novo.

Em terceiro lugar, *tornar conhecidas a sabedoria de Deus para os poderes cósmicos* (3:10). O evangelho é endereçado aos homens, mas traz também lições para os anjos. Paulo diz que Deus está formando uma comunidade multirracial e multicultural como uma bela tapeçaria. Esse novo povo, formado por judeus e gentios, reconciliado com Deus e uns com os outros, revela a multiforme (*polupoikilos*), sabedoria de Deus. Essa palavra quer dizer "variegado" e foi usada por escritores clássicos com referência a roupas e flores. Era usada para descrever flores, coroas, tecidos bordados e tapetes trançados. Essa palavra também foi usada para descrever "a emaranhada beleza de um bordado" ou a intérmina variedade de matizes nas flores. Eis, diz o apóstolo, como é a sabedoria de Deus que a igreja declara:[150] A igreja como uma comunidade multirracial e multicultural é, portanto, como uma bela tapeçaria. Seus membros vêm de uma vasta gama de situações singulares. Nenhuma outra comunidade humana se assemelha a ela. Sua diversidade e harmonia são sem igual. É a nova sociedade de Deus.

Paulo também diz que a igreja está no palco da história como o maior espetáculo do mundo. Enquanto o

O maior mistério da história

evangelho se espalha em todas as partes do mundo, essa nova comunidade cristã de cores variadas desenvolve-se. É como a encenação de um grande drama. A história é o teatro, o mundo é o palco, e os membros da igreja de todos os países são os atores. O próprio Deus escreveu a peça, dirige-a e a produz. Ato após ato, cena após cena, a história continua a desdobrar-se. Mas quem está no auditório? São os anjos. Eles são os espectadores do drama da salvação. "A história da igreja cristã fica sendo uma escola superior para os anjos."[151] Por meio da antiga criação (o Universo), Deus revelou sua glória aos seres humanos. Por meio da nova criação (a igreja), Deus revelou sua sabedoria aos anjos:[152] Os anjos olham fascinados ao ver judeus e gentios sendo incorporados na igreja como iguais.

Quando você compreende o que é a igreja e o que a igreja tem em Cristo, isso lhe dá grande confiança para viver uma vida poderosa. Paulo usa três palavras-chave no versículo 12: *ousadia, acesso e confiança.* O plano eterno de Deus não dispensa você de orar. A soberania de Deus não anula a responsabilidade do homem. Deus está no controle, mas Paulo pede que os crentes não desanimem. Deus está no controle, mas Paulo se põe de joelhos para orar (3:14).

A palavra *ousadia* é ausência de barreira e de medo. A palavra grega *parresia,* "ousadia", quer dizer expressar-se com liberdade. Refere-se a uma ausência de temor, de timidez ou de vergonha de se aproximar de Deus (Hb 4:16; 10:19):[153] A palavra "acesso" aponta para o fato de que tanto judeus como gentios (2:18) têm acesso ao Pai em um Espírito. E, finalmente, a palavra "confiança" afirma a certeza da aprovação divina. As três palavras são postas juntas de maneira a chegar ao sentido pleno da verdade anunciada pelo apóstolo, isto é, que, pela fé em Cristo, temos acesso irrestrito e confiante a Deus:[154] Agora, todos temos liberdade de nos aproximar livremente de Deus por meio de Cristo. Paulo quer que os crentes entendam que o plano de Deus da redenção prosseguirá a despeito de sua prisão. O plano de Deus não falhou porque ele está na prisão. Nem suas aflições o afastaram do caminho do dever.

Vemos de forma clara a centralidade bíblica da igreja na teologia de Paulo. A igreja ocupa lugar central na História. O versículo 11 alude ao eterno propósito de Deus. A história não é uma coletânea de eventos desconexos; não é a história das nações, dos reis, da queda e levantamento de impérios, mas é a história de Deus formando um povo para si mesmo para reinar eternamente com ele. A igreja ocupa lugar central no evangelho. Cristo morreu para nos reconciliar com Deus e para nos reconciliar uns com os outros. A igreja ocupa lugar central na vida cristã. Paulo termina esse parágrafo (3:13) como começou (3:1). Sofrimento e glória estão profundamente interligados entre si. Se o nosso sofrimento traz glória para os outros, bendito seja Deus!

Notas do capítulo 5

[141] LLOYD-Jones, D. M. *As insondáveis riquezas de Cristo*. São Paulo: PES, 1992, p. 20,21.

[142] VAUGHAN, Curtis. *Efésios*, p. 82.

[143] STOTT, John. *A mensagem de Efésios*, p. 80,81.

[144] MACKAY, John. *A ordem de Deus e a desordem do homem*, p. 54,55.

[145] STOTT, John. *A mensagem de Efésios*, p 81.

[146] STOTT, John. *A mensagem de Efésios*, p. 82.

[147] STOTT, John. *A mensagem de Efésios*, p. 84.

[148] STOTT, John. *A mensagem de Efésios*, p. 84,85.

[149] LENSKI, R. C. H. *The Interpretation of St. Paul's Epistles to the Galatians, to the Ephesians, and to the Philippians*. Ohio: The Wartburg Press. Columbus, 1946, p. 447.

[150] FOULKES, Francis. *Efésios: introdução e comentário*, p. 82.

[151] STOTT, John. *A mensagem de Efésios*, p. 86,87.

[152] STOTT, John. *A mensagem de Efésios*, p. 87.

[153] FOULKES, Francis. *Efésios: introdução e comentário*, p. 83.

[154] VAUGHAN, Curtis. *Efésios*, p. 90.

Capítulo 6

A oração mais ousada da história
(Ef 3:14-21)

A PRIMEIRA ORAÇÃO DE PAULO, nessa carta, enfatiza a necessidade de iluminação; ela enfatiza a capacitação. A ênfase agora não é no *conhecer*, mas no *ser*.[155] Essa oração é geralmente considerada a mais sublime, a de mais longo alcance e a mais nobre de todas as orações das epístolas paulinas e, possivelmente, de toda a Bíblia.[156] Essa oração é o ponto culminante da teologia de Paulo. É considerada a oração mais ousada da história. Paulo está preso, algemado, na antessala da morte, no corredor do martírio, com o pé na sepultura e com a cabeça próxima da guilhotina de Roma. Ele tem muitas necessidades físicas e materiais imediatas e urgentes, porém

Efésios — Igreja, a noiva gloriosa de Cristo

não faz nenhuma espécie de pedido a Deus com relação à essas necessidades.

Os homens podem colocar Paulo atrás das grades, mas não podem enjaular sua alma. Eles podem algemar suas mãos, mas não podem algemar a Palavra de Deus em seus lábios. Eles podem proibir Paulo de viajar, visitar e pregar nas igrejas, mas não podem impedir Paulo de orar pelas igrejas. Sobre isso Lloyd-Jones escreve:

> O importante para nós é saber que Paulo está realmente dizendo que, embora prisioneiro, embora um perverso inimigo o tenha encarcerado, o tenha posto em grilhões, o tenha impossibilitado de visitar os efésios e de pregar-lhes (ou de ir a qualquer outro lugar para pregar), há uma coisa que o inimigo não pode fazer — não pode impedi-lo de orar. Ele ainda pode orar. O inimigo pode confiná-lo numa cela, pode meter ferrolhos e trancas nas portas, pode algemá-lo a soldados, pode pôr grades nas janelas, pode enclausurá-lo e confiná-lo fisicamente, entretanto nunca poderá obstruir o caminho do coração do crente mais humilde para o coração do Deus eterno.[157]

Paulo estava na prisão, mas não inativo. Ele estava realizando um poderoso ministério na prisão: o ministério da intercessão. Paulo nunca separou o ministério da instrução do ministério da oração. Instrução e oração andam juntas. Hoje, a maioria dos teólogos tem abandonado a trincheira da oração. Separamos a academia da piedade, a pregação da oração. Precisamos retornar às origens!

O preâmbulo da oração

John Stott, com oportuna lucidez, diz que o prelúdio indispensável a toda petição é a revelação da vontade de Deus. Não temos autoridade alguma para orar por qualquer coisa que Deus não revelou ser sua vontade. Por isso, a leitura da Bíblia e a oração devem caminhar sempre juntas. É nas Escrituras que Deus revelou a sua vontade, e é na oração que pedimos que ele a realize:[158]

Na introdução de sua oração, podemos aprender três coisas importantes com o apóstolo Paulo:

Em primeiro lugar, *a postura de Paulo revela reverência* (3:14). "Por essa razão, dobro meus joelhos perante o Pai." Os judeus normalmente oravam de pé, mas Paulo se põe de joelhos. Essa postura era usada em ocasiões especiais ou em circunstâncias excepcionais (Lc 22:41; At 7:60):[159] A Bíblia não sacraliza a postura física com que devemos orar. Temos exemplos de pessoas orando em pé, assentadas, ajoelhadas, andando e até mesmo deitadas. Obviamente, não podemos ser desleixados com nossa postura física quando nos apresentamos àquele que está assentado num alto e sublime trono. Um santo de joelhos enxerga mais longe do que um filósofo na ponta dos pés. Quando a igreja ora, a mão onipotente que dirige o Universo se move para agir providencialmente na história. Concordamos com a expressão "Quando o homem trabalha, o homem trabalha; mas quando o homem ora, Deus trabalha".

Em segundo lugar, *a motivação de Paulo revela exultação pela obra de Deus na igreja* (3:14,15). O apóstolo diz: "Por essa razão, dobro meus joelhos perante o Pai, de quem toda família nos céu e na terra recebe o nome". Em Efésios 3:1,14, Paulo fala da gloriosa reconciliação dos gentios com Deus e dos gentios com os judeus, formando uma única igreja, o corpo de Cristo. A igreja da terra e a igreja do céu são a mesma igreja, a família de Deus. Paulo fala aqui da igreja militante na terra e da igreja triunfante no céu como uma única igreja. Somos a mesma igreja (Hb 12:22,23):[160] O nome de todos os crentes, sejam os que ainda estão na terra, sejam os que já estão no céu, está escrito em um só livro da vida e gravado no peitoral do único Sumo Sacerdote:[161]

Paulo se dirige a Deus como nosso Pai, temos confiança e intimidade; ousadia, acesso e confiança (3:12). Russell Shedd diz que a paternidade de Deus é um "arquétipo", não havendo nada neste mundo que não tenha sua origem em Deus. Toda a ideia de paternidade se manifesta, tanto no céu como na terra, referindo-se à figura original da paternidade de Deus:[162]Aquele que é o Pai dos homens é também a fonte da confraternidade e unidade em todas as ordens de seres finitos:[163] Francis Foulkes, nessa mesma linha de pensamento, diz que cada um recebe de Deus sua existência, seu conceito e sua experiência de paternidade. O nome do Pai não emergiu de nós, mas veio do alto até nós. A um Pai assim, Pai de todos, o único em quem a paternidade é vista com perfeição, é que os homens se dirigem quando oram:[164]

Em terceiro lugar, *a audácia de Paulo revela sua confiança* (3:16). Paulo manifesta o desejo de que Deus atenda às suas súplicas "segundo as riquezas da sua glória" (3:16). A glória de Deus não é um atributo de Deus, mas o fulgor pleno de todos os atributos de Deus. Curtis Vaughan diz que o apóstolo tinha em mente os ilimitados recursos que estão disponíveis a Deus:[165] Podemos fazer pedidos audaciosos a Deus. Seus recursos são inesgotáveis.

O conteúdo da oração (3:16-19)

Nessa oração, as petições de Paulo são como degraus de uma escada, cada uma delas subindo mais, porém, baseadas todas no que veio antes. Solidamente entrelaçadas, cada ideia leva à ideia seguinte. O ponto culminante da oração está nas últimas palavras do versículo 19: "Para que sejais preenchidos até a plenitude de Deus":[166] O que Paulo pede a Deus?

Em primeiro lugar, a oração de Paulo *é uma súplica por poder interior* (3:16,17). "Para que, segundo as riquezas da sua glória, vos conceda que sejais interiormente fortalecidos com poder pelo seu Espírito. E que Cristo habite pela fé em vosso coração, a fim de que, arraigados e fundamentados em amor." Paulo não está pedindo que haja mudança nas circunstâncias em relação a si mesmo nem em relação aos outros. Ele ora pedindo poder. A preocupação de Paulo não é com as coisas materiais, mas com as coisas espirituais. As orações de hoje, tão centradas no homem, na busca imediata de prosperidade e curas, estão longe do ideal dessa oração paulina. A oração de Paulo não é apenas espiritual, mas também específica. Paulo não divaga em sua oração. Ele não usa expressões genéricas. Ele não pede alívio dos problemas, mas poder para enfrentá-los. O poder é concedido pelo Espírito. A presença do Espírito na vida é a evidência da salvação (Rm 8:9), mas o poder do Espírito é a evidência da capacitação para a vida (At 1:8). Jesus realizou seu ministério na terra sob o poder do Espírito Santo (Lc 4:1,14; At 10:38). Há 59 referências ao Espírito Santo no livro de Atos, um quarto de todas as referências do Novo Testamento.

Precisamos ser fortalecidos com poder porque somos fracos, porque o Diabo é astucioso, porque nosso homem interior (mente, coração e vontade) depende do poder do alto para viver em santidade. Martyn Lloyd-Jones comenta sobre a experiência de Dwight L. Moody, em Nova Iorque:

> Subitamente quando caminhava na Wall Street lhe sobreveio o Espírito Santo; foi batizado com o Espírito Santo. Diz-nos ele que a

experiência foi tão tremenda, tão gloriosa, que ele ficou em dúvida se poderia aguentá-la, num sentido físico; tanto assim que ele clamou a Deus para que segurasse a sua mão, para que ele não caísse na rua. Foi assim por causa da glória transcendental da experiência. Pode-se ver a mesma coisa nas experiências de Jonathan Edwards e David Brainerd.[167]

O poder do Espírito Santo nos é dado de acordo com as riquezas da sua glória. Essas duas petições caminham juntas. As duas se referem ao ponto mais íntimo do cristão, "seu homem interior", de um lado, e "seu coração", de outro. Lloyd-Jones diz que o homem interior é o oposto do corpo e todas suas faculdades e funções. Inclui o coração, a mente e o espírito do homem regenerado, do homem que está em Cristo Jesus:[168] O poder do Espírito e a habitação de Cristo referem-se à mesma experiência. É mediante o Espírito que Cristo habita em nosso coração (Rm 8:9):[169]

Cada cristão é habitado pelo Espírito Santo e é templo do Espírito Santo. A habitação de Cristo, aqui, porém, é uma questão de intensidade. Havia duas palavras distintas para "habitar": *paroikéo* e *katoikéo*. A primeira palavra quer dizer habitar como estrangeiro (2:19). Era usada para o peregrino que está morando longe de sua casa. *Katoikéo*, por outro lado, tem o sentido de estabelecer-se em algum lugar. Refere-se a uma habitação permanente em contraste com a temporária, e é usada tanto para a plenitude da divindade habitando em Cristo (Cl 2:9) quanto para a plenitude de Cristo habitando no coração do crente (3:17).

A palavra que foi escolhida, *katoikein*, denota a residência em contraste com o alojamento; a habitação do dono da casa em seu próprio lar em contraste com o viajante que sai do caminho para pernoitar em algum lugar e que, no dia seguinte, já terá ido embora:[170] Russell Shedd ainda lança luz sobre a palavra *katoikéo,* quando diz que ela significa tomar conta de toda a casa, tendo procuração ou autorização completa, de forma a poder fazer limpeza nas despensas se quiser, mudar a mobília como quiser, jogar fora o que quiser. Ele é o dono da casa:[171]

A palavra *katoikéo* também tem o sentido de sentir-se bem ou sentir-se em casa. Cristo sente-se em casa em nosso coração. Os mesmos anjos que se hospedaram na casa de Abraão também se hospedaram na casa de Ló, em Sodoma. Mas eles não se sentiram do mesmo jeito em ambas as casas.

Uma coisa é ser habitado pelo Espírito, outra é ser cheio do Espírito. Uma coisa é ter o Espírito residente, outra é ter o Espírito presidente. O coração do crente é o lugar da habitação de Cristo, no qual ele está presente não apenas para consolar e animar, mas para reinar. Cristo, em alguns, está apenas presente; em outros, ele é proeminente e, em outros ainda, ele é preeminente:[172] Se Cristo está presente em nosso coração, algumas coisas não podem estar (2Co 6:17,18; Gl 5:24).

Em segundo lugar, a oração de Paulo *é uma súplica por aprofundamento no amor fraternal* (3:17b). "Arraigados e fundamentados em amor." Para que Paulo pede poder do Espírito e plena soberania de Cristo em nós? Paulo ora para que os crentes sejam fortalecidos para amar. Nessa nova comunidade que Deus está formando, o amor é a virtude mais importante. Precisamos do poder do Espírito e da habitação de Cristo para amar uns aos outros, principalmente atravessando o profundo abismo racial e cultural que, anteriormente, separava-nos. Martyn Lloyd-Jones faz um solene alerta sobre esse ponto:

> O propósito de toda doutrina, o valor de toda instrução, é levar-nos à Pessoa do nosso Senhor e Salvador Jesus Cristo. A falta de entendimento desse ponto tem sido uma armadilha para muitos na Igreja através dos séculos. Para alguns cristãos professos, a armadilha é perturbar-se acerca do conhecimento; essas pessoas já se acham numa posição falsa. Outros podem ver claramente que é para termos conhecimento que as Escrituras nos concitam a isso, e, assim, eles se põem a buscar conhecimento. Então, o Diabo entra e transforma isso numa coisa puramente intelectual. O resultado é que eles têm cabeças repletas de conhecimento e de doutrina, mas os seus corações são frios e duros como pedras. O verdadeiro conhecimento cristão é conhecimento de uma Pessoa. E porque é conhecimento de uma Pessoa, leva ao amor, porque Ele é amor.[173]

Paulo usa duas metáforas para expressar a profundidade do amor: uma procedente da *botânica* e outra, da *arquitetura*. Ambas enfatizam profundidade em contraste com superficialidade:[174] Devemos estar tão firmes como uma árvore e tão sólidos como um edifício. O amor deve ser o solo em que a vida deve ser plantada; o amor deve ser o fundamento em que a vida deve ser edificada.

Uma árvore precisa ter suas raízes profundas no solo se ela quiser encontrar provisão e estabilidade. Assim também é o crente. Precisamos estar enraizados no amor de Cristo.

A parte mais importante num edifício é sua fundação. Se ele não cresce com solidez para baixo, ele não pode crescer com segurança para cima. As tempestades da vida provam se as nossas raízes e a fundação da nossa vida são profundas (Mt 7:24-27).

O amor é a principal virtude cristã (1Co 13:1-3). O amor é a evidência do nosso discipulado (Jo 13:34,35). O amor é a condição para realizarmos a obra de Deus (Jo

21:15-17). O amor é o cumprimento da lei (1Co 10:4). O conhecimento incha, mas o amor edifica (1Co 8:2).

Em terceiro lugar, a oração de Paulo *é uma súplica pela compreensão do amor de Cristo* (3:18,19). "Vos seja possível compreender, juntamente com todos os santos, a largura, o comprimento, a altura e a profundidade desse amor e assim conhecer esse amor de Cristo, que excede todo o entendimento, para que sejais preenchidos até a plenitude de Deus." O apóstolo passa, agora, do nosso amor pelos irmãos para o amor de Cristo por nós. Precisamos de força e poder para compreender o amor de Cristo. A ideia central do pedido provém de duas ideias: *compreender* (3:18) e *conhecer* (3:19). A primeira sugere compreensão intelectual. Representa apossar-se de alguma coisa, tornando-a sua propriedade. Mas o verbo *conhecer* refere-se a um conhecimento alcançado pela experiência. Portanto, a súplica implica que os crentes tenham um conhecimento objetivo do amor de Cristo e uma profunda experiência nele.

Paulo ora para que possamos *compreender* o amor de Cristo em suas plenas dimensões: qual a largura, o comprimento, a altura e a profundidade dele (3:18). A referência às dimensões tem o propósito de falar da imensurabilidade desse amor. O amor de Cristo é suficientemente largo para abranger a totalidade da humanidade (Ap 5:9,11; 7:9; Cl 3:11), suficientemente comprido para durar por toda a eternidade (Jr 31:3; Ap 13:8; Jo 13:1), suficientemente profundo para alcançar o pecador mais degradado (Is 53:6,7) e suficientemente alto para levá-lo ao céu (Jo 17:24):[175]

Russell Shedd entende que a *largura* do amor de Cristo abrange membros de toda tribo, língua, povo e nação. O evangelho é tão largo que não se pode excluir nenhuma entidade, nenhuma comunidade humana. O seu *comprimento* aponta para o tempo, começando no Éden, logo após a queda do homem, até o fim, quando Jesus voltar. Nunca houve nem haverá, até Cristo voltar, um intervalo na operação poderosa e salvadora do evangelho. A terceira dimensão é sua *altura* que vem do mais alto céu e desce até o mais baixo inferno. E, finalmente, sua *profundidade:* chegará até os piores pecadores, já descritos eficientemente (2:1-3). Não há nenhum pecador ou rebelde que não possa ser incluído em tão grande salvação:[176]

Alguns pais da igreja viram nessas quatro dimensões um símbolo da própria cruz de Cristo. É inatingível a magnitude do amor de Cristo pelos homens. O conhecimento do amor de Cristo deve ser obtido no contexto da comunhão fraternal. Paulo diz: "Vos seja possível compreender, juntamente *com todos os santos*" (grifo do autor). O isolamento e a falta de comunhão com os crentes é um obstáculo à compreensão do amor de Cristo pelos homens. Precisamos da totalidade da igreja, sem barreira de etnia, cultura, cor e denominação, para compreender o grande amor de Cristo por nós. Os santos contarão uns aos outros sobre suas descobertas e experiências a respeito de Cristo. Veja Salmo 66:16: "Todos vós que temeis a Deus, vinde e ouvi, e eu contarei o que tem ele feito por mim".

O apóstolo continua: "E assim conhecer esse amor de Cristo, que excede todo o entendimento". O amor de Cristo é por demais largo, comprido, profundo e alto até mesmo para todos os santos entenderem. O amor de Cristo é tão inescrutável quanto suas riquezas são insondáveis (3:8). Sem dúvida, passaremos a eternidade explorando as riquezas inesgotáveis da graça e do amor de Cristo. Passaremos a eternidade contemplando o amor de Cristo, maravilhando-nos e extasiando-nos com isso. Entretanto, o que nos cabe é começar nisso aqui e agora, nesta vida:[177] O amor de Cristo tem quatro dimensões, mas elas não podem ser medidas. Nós somos tão ricos em Cristo que as nossas riquezas não podem ser calculadas nem mesmo pelo mais hábil contabilista.

Em quarto lugar, a oração de Paulo *é uma súplica pela plenitude de Deus* (3:19b). "Para que sejais preenchidos até a plenitude de Deus." Provavelmente, nenhuma oração poderá ser mais sublime que essa porque ela inclui todas as outras. O seu sentido pleno está além da nossa compreensão, e é bem provável que ela tivesse vindo a ser a oração que os efésios estimassem como a de mais alto nível espiritual:[178] Nessa carta aos efésios, Paulo fala-nos que devemos ser cheios da plenitude do Filho (1:23), do Pai (3:19) e do Espírito Santo (5:18). Devemos ser cheios da própria Trindade. Embora Deus seja transcendente e nem os céus dos céus possam contê-lo (2Cr 6:18), ele habita em nós de forma plena. O pedido de Paulo é que sejamos tomados de toda a plenitude de Deus! Deus está presente em cada célula, em cada membro do corpo, em cada área da vida. Tudo é tragado pela presença e pelo domínio de Deus.

Devemos ser cheios não apenas com a plenitude de Deus, mas até a plenitude de Deus. Devemos ser santos como Deus é santo e perfeitos como Deus é perfeito (1Pe 1:16; Mt 5:48). Devemos ficar cheios até o limite, cheios até aquela plenitude de Deus que os seres humanos são capazes de receber sem deixar de permanecer humanos. Isso também quer dizer que seremos semelhantes a Cristo, ou seja, alcançaremos o propósito eterno de Deus (Rm 8:29; 2Co 3:18). Representa, outrossim, que atingiremos a plenitude do amor, do qual Paulo acabara de falar em sua oração. Então, se cumprirá a oração do próprio Jesus: "Para que o amor com que me amaste esteja neles, e eu também neles esteja" (Jo 17:26).

Nós gostamos de medir a nós mesmos, comparando-nos com os crentes mais fracos que conhecemos. Então, orgulhamo-nos: "Bem, estou melhor do que eles". Paulo, porém, fala-nos que a medida é Cristo e que não podemos nos orgulhar sobre coisa alguma. Quando tivermos alcançado a plenitude de Cristo, então, teremos chegado ao limite.

A conclusão da oração

Na conclusão dessa magnífica oração do apóstolo Paulo, ele trata de dois pontos muito importantes:

Em primeiro lugar, *a capacidade de Deus de responder às orações* (3:20). "Àquele que é poderoso para fazer bem todas as coisas, além do que pedimos ou pensamos, pelo poder que age em nós." John Stott diz que a capacidade de Deus de responder às orações é declarada pelo apóstolo de modo dinâmico numa expressão composta de sete etapas:[179] 1) Deus é poderoso para fazer, pois ele não está ocioso, inativo nem morto. 2) Deus é poderoso para fazer o que pedimos, pois escuta a oração e a responde. 3) Deus é poderoso para fazer o que pedimos ou pensamos, pois lê nossos pensamentos. 4) Deus é poderoso para fazer tudo quanto pedimos ou pensamos, pois sabe de tudo e tudo pode realizar. 5) Deus é poderoso para fazer mais do que tudo que pedimos ou pensamos, pois suas expectativas são mais altas do que as nossas. 6) Deus é poderoso para fazer muito mais do que tudo quanto pedimos ou pensamos, pois sua graça não é dada por medidas racionadas. 7) Deus é poderoso para fazer infinitamente mais do que tudo quanto pedimos ou pensamos conforme o seu poder que opera em nós, pois é o Deus da superabundância.

Em segundo lugar, *a doxologia ao Deus que responde às orações* (3:21). "A ele seja a glória na igreja e em Cristo Jesus, por todas as gerações, para todo o sempre. Amém." Nada poderia ser acrescentado a essa oração de Paulo senão a doxologia: "a ele seja a glória". Deus é o único que tem poder para ressuscitar e fazer com que o sonho se torne realidade. O poder vem da parte dele; a glória deve ser dada a ele. Conclui o apóstolo: "A ele seja a glória na igreja e em Cristo Jesus, por todas as gerações, para todo o sempre. Amém". A igreja é a esfera em que a glória de Deus se manifesta. Concordo com Curtis Vaughan quando diz que nada podemos acrescentar à inerente glória de Deus, mas podemos viver de tal modo que nossa vida contribua para que outros também possam contemplar a sua glória:[180] A Deus seja a glória no corpo e na cabeça, na comunidade da paz e no Pacificador, por todas as gerações (na História) e para todo o sempre (na eternidade).

Notas do capítulo 6

[155] WIERSBE, Warren W. *Comentário bíblico expositivo*, p. 39.
[156] VAUGHAN, Curtis. *Efésios*, p. 92.
[157] LLOYD-JONES, D. M. *As insondáveis riquezas de Cristo*, p. 96.
[158] STOTT, John. *A mensagem de Efésios*, p. 94.
[159] VAUGHAN, Curtis. *Efésios*, p. 92.
[160] HENDRIKSEN, William. *Efésios*, p. 212.
[161] HENDRIKSEN, William. *Efésios*, p. 212.
[162] SHEDD, Russell. *Tão grande salvação*, p. 50.
[163] VAUGHAN, Curtis. *Efésios*, p. 93.
[164] FOULKES, Francis. *Efésios: introdução e comentário*, p. 85.
[165] VAUGHAN, Curtis. *Efésios*, p. 94.
[166] VAUGHAN, Curtis. *Efésios*, p. 94,95.
[167] LLOYD-JONES, D. M. *As insondáveis riquezas de Cristo*, p. 121.
[168] LLOYD-JONES, D. M. *As insondáveis riquezas de Cristo*, p. 113.
[169] STOTT, John. *A mensagem de Efésios*, p. 96.
[170] STOTT, John. *A mensagem de Efésios*, p. 97.
[171] SHEDD, Russell. *Tão grande salvação*, p. 52.
[172] VAUGHAN, Curtis. *Efésios*, p. 96.
[173] LLOYD-JONES, D. M. *As insondáveis riquezas de Cristo*, p. 165.
[174] STOTT, John. *A mensagem de Efésios*, p. 97.
[175] VAUGHAN, Curtis. *Efésios*, p. 97.
[176] SHEDD, Russell. *Tão grande salvação*, p. 54.
[177] LLOYD-JONES, D. M. *As insondáveis riquezas de Cristo*, p. 194.
[178] VAUGHAN, Curtis. *Efésios*, p. 98.
[179] STOTT, John. *A mensagem de Efésios*, p. 100.
[180] VAUGHAN, Curtis. *Efésios*, p. 100.

Capítulo 7

A gloriosa unidade da igreja
(Ef 4:1-16)

TODAS AS CARTAS DE PAULO CONTÊM equilíbrio entre teologia e vida, doutrina e dever. Essa carta não é diferente. Os três primeiros capítulos lidam com doutrina, nossas riquezas em Cristo, enquanto os últimos três explanam o dever, nossas responsabilidades em Cristo. A palavra-chave nesses últimos três capítulos é *andar* : 1) andar em unidade (4:1-16); 2) andar em pureza (4:17—5:17); 3) andar em harmonia (5:18—6:9); 4) andar em vitória (6:10-24):[181]

Russell Shedd diz que os três primeiros capítulos fornecem uma visão do todo, começando antes da criação, quando Deus planejou nossa incorporação no novo homem, e como ele nos resgatou do império das trevas e está formando sua obra de arte. E essa obra unifica e derruba todas as barreiras culturais, raciais e até mesmo religiosas, como constatamos no caso do judeu e do gentio:[182]

Francis Foulkes está correto quando diz que a conduta cristã tem origem na doutrina cristã e que o dever cristão deriva diretamente do débito indizível de gratidão que ele tem por tudo aquilo que recebeu em Cristo. Aqueles que foram escolhidos por Deus para se assentar com Cristo nas regiões celestiais devem se lembrar que a honra de Cristo está envolvida em seu viver diário. Esse é um princípio que deve servir de guia em todas as situações:[183]

John Stott diz que Paulo avança da nova sociedade para os novos padrões nos quais ela deve andar. Volta-se da exposição para a exortação, da doutrina para o dever, daquilo que Deus faz para aquilo que devemos ser e fazer. Paulo ensinou e orou pela igreja; agora, dirige-lhe um apelo solene. A instrução, a intercessão e a exortação constituem um trio fundamental na vida do cristão:[184]

Paulo vê sua prisão como uma oportunidade de abençoar a igreja e não de se entregar à autopiedade. Paulo é tanto um prisioneiro de Cristo como um prisioneiro por amor a Cristo. As prisões de Paulo foram uma bênção. Contribuíram para o bem da igreja. Estimularam os novos crentes. Paulo evangelizou a guarda pretoriana, 16 mil soldados de escol, a elite militarizada do palácio do imperador, e escreveu cartas que se perpetuaram e ainda abençoam milhões de pessoas em todo o mundo. Paulo é prisioneiro no Senhor.

Paulo faz um clamor veemente e não um pedido indiferente. Deus, em seu amor, urge conosco para vivermos para a sua glória. A ênfase na antiga aliança era: "Se vocês me obedecerem, eu abençoarei vocês". Mas na nova aliança a

A gloriosa unidade da igreja

ênfase é: "Eu já abençoo vocês. Agora, em resposta ao meu amor e graça, obedeçam-me".

Paulo conecta doutrina com vida. A conjunção *portanto* é uma ponte entre o que Paulo tinha ensinado e o que pedirá (4:1). A vida é consequência da doutrina. A doutrina é a base da vida. O que cremos determina como vivemos.

Paulo ensina que o nosso andar precisa refletir a vida de Deus. Andar de modo digno de Deus representa viver do mesmo jeito que Deus vive. A palavra "digno" traz a ideia de uma balança, em que há equilíbrio entre a vida de Deus e a nossa vida:[185] A igreja tem duas características aqui: 1) é um só povo: judeus e gentios, a única família de Deus; 2) é um povo santo, distinto do mundo secular:[186]

A ideia básica desse texto é a unidade dos crentes em Cristo. É uma aplicação prática da doutrina. Concordo com Warren Wiersbe quando ele diz que, para entender essa unidade, devemos entender quatro importantes fatos: a graça, o fundamento, os dons e o crescimento da unidade:[187]

A graça da unidade (4:1-3)

Paulo exorta em relação à graça da unidade nos seguintes termos:

> Portanto, eu, prisioneiro no Senhor, peço-vos que andeis de modo digno para com o chamado que recebestes, com toda humildade e mansidão, com paciência, suportando-vos uns aos outros em amor, procurando cuidadosamente manter a unidade do Espírito no vínculo da paz (4:1-3).

O apóstolo Paulo fala de unidade, não de uniformidade. Unidade vem do interior, é uma graça espiritual, enquanto uniformidade é resultado de pressão exterior:[188] Essa unidade não é externa nem mecânica, mas interna e orgânica. Ela não é imposta por força exterior, senão que, pela virtude do poder de Cristo que habita o crente, procede de dentro do organismo da igreja. Portanto, os que em seu zelo ecumênico se mostram ansiosos para desfazer todos os limites denominacionais a fim de criar uma gigantesca superigreja não podem encontrar aqui nenhum apoio:[189]

Paulo usa mais uma vez a figura do corpo para descrever a unidade. Ele enumera quatro virtudes que caracterizam o andar digno do cristão. A unidade não é criada, mas preservada (4:3). Ela já existe por obra de Deus, não do homem. Portanto, ecumenismo não possui amparo na Palavra de Deus. A unidade da igreja não é construída pelo homem, mas pelo Deus triúno.

Paulo fala também sobre a necessidade de se preservar a unidade do Espírito no vínculo da paz. A unidade é orgânica, mas precisa ser preservada. Como essa unidade é preservada?

Em primeiro lugar, agindo com *humildade* (4:2) A palavra grega *tapeinophrosine*, "humildade", foi cunhada pela fé cristã. A humildade era desprezada pelos romanos, pois era sinal de fraqueza. Tinha o sentido de baixo, vil, ignóbil. A megalopsiquia, o contrário de humildade, é que era considerada virtude. Ebehard Hahn define humildade como a renúncia à imposição de interesses pessoais:[190] Francis Foulkes diz acertadamente que, em Cristo, a humildade tornou-se uma virtude. Sua vida e morte foram serviço e sacrifício sem qualquer preocupação quanto à reputação (Fp 2:6). Como o cristão é chamado a seguir seus passos, a humildade ocupa uma parte insubstituível no caráter cristão:[191] Humildade representa pôr Cristo em primeiro lugar, os outros, em segundo lugar e o eu, em último lugar. Cristo apresentou-se como alguém manso e humilde de coração.

A gloriosa unidade da igreja

A primeira bem-aventurança cristã é ser humilde de espírito. William Barclay diz que a humildade provém: 1) do conhecimento que temos de nós mesmos. Quem sabe que veio do pó, é pó e voltará ao pó não pode ser orgulhoso; 2) do confronto da própria vida com a vida de Cristo à luz das exigências de Deus. Quando reconhecemos que Cristo é santo e puro e somos desafiados a imitá-lo, então precisamos ser humildes; 3) da consciência de que somos criaturas totalmente dependentes de Deus. Não podemos viver um minuto sequer sem o cuidado de Cristo. Nosso dinheiro, saúde e amigos não podem nos valer. Não podemos pensar a respeito de nós mesmos além do que convém nem aquém (Rm 12:3). Cristo é o exemplo máximo de humildade: ele a si mesmo se esvaziou:[192]

Em segundo lugar, agindo com *mansidão* (4:2). A palavra grega *prautes*, "mansidão", não é sinônimo de fraqueza; ao contrário, é a suavidade dos fortes, cuja força está sob controle. É a qualidade de uma personalidade forte que, mesmo assim, é senhora de si mesma e serva de outras pessoas:[193]

A palavra grega *prautes* era usada no grego clássico com o bom sentido de suavidade de tratamento ou docilidade de caráter:[194] Uma pessoa mansa é aquela que não insiste em seus direitos nem reivindica sua própria importância ou autoridade. Na verdade, uma pessoa mansa abre mão de seus direitos. Uma pessoa mansa prefere, antes, sofrer o agravo do que o infligir (1Co 6:7). Abraão é um exemplo de mansidão. Ele deixou Ló fazer a melhor escolha (Gn 13:7-18). A mansidão é poder sob controle. É a virtude daqueles que não perdem o controle. Moisés era manso e, no entanto, veja quão tremendo poder ele exerceu. Jesus era manso e virou a mesa dos cambistas. Você tem poder, mas esse poder está sob controle. Era o termo usado para um animal adestrado. Uma pessoa mansa controla seu temperamento, impulsos, língua e desejos. É a pessoa que possui completo domínio de si mesma. Ao comparar mansidão com humildade, chegamos à conclusão de que o homem manso pensa bem pouco em suas reivindicações pessoais, como também o homem humilde pensa bem pouco em seus méritos pessoais:[195]

Em terceiro lugar, agindo com *paciência* (4:2). William Barclay diz que o substantivo *makrothymia* e o verbo *makrothymein* são palavras tipicamente cristãs, pois descrevem uma virtude cristã que os gregos não consideravam virtude:[196] É a atitude de nunca revidar. A palavra grega *makrothymia* quer dizer aguentar com paciência pessoas provocadoras:[197] É o estado de espírito estendido ao máximo. É a firme paciência no sofrimento ou infortúnio:[198] Crisóstomo dizia que paciência é o espírito que tem o poder de vingar-se, mas nunca o faz. É a pessoa que aguenta o insulto sem amargura nem lamento. O amor tudo suporta!

Em quarto lugar, agindo com *um amor que suporta os irmãos* (4:2). A palavra "suportar" aqui não é aguentar o outro com resignação estoica, mas servir de amparo e suporte para o outro. Fazer isso não por um dever amargo, mas com amor. "Suportar em amor" é a manifestação prática da paciência. Representa ser clemente com as fraquezas dos outros, não deixando de amar o próximo nem os amigos por causa de suas faltas, ainda que talvez nos ofendam ou desagradem:[199]

O fundamento da unidade (4:4-6)

Tendo abordado a graça da unidade, Paulo passa a falar sobre o fundamento da unidade: "Há um só corpo e um só

Espírito, como também fostes chamados em uma só esperança do vosso chamado; há um só Senhor, uma só fé, um só batismo; e um só Deus e Pai de todos, que é sobre todos, por todos e está em todos" (4:4-6).

Muitas pessoas, hoje, esforçam-se para unir as religiões de forma não bíblica. Elas dizem: "Não estamos interessados em doutrinas, mas em amor". Dizem: "Vamos esquecer as doutrinas; elas só nos dividem. Vamos simplesmente amar uns aos outros".[200] Mas Paulo não discute a unidade cristã sem antes falar do evangelho (capítulos 1 a 3). Unidade edificada sobre outra base que não a verdade bíblica é o mesmo que edificar uma casa sobre a areia. A unidade cristã baseia-se na doutrina da Trindade: "Um só Espírito" (4:4), um só Senhor (4:5) e um só Deus e Pai de todos (4:6).

Paulo nomeia aqui algumas realidades básicas que unem todos os cristãos.

Um só corpo (4:4). Só existe uma igreja verdadeira, o corpo de Cristo, formada de judeus e gentios, a única família no céu e na terra. Uma pessoa só começa a fazer parte desse corpo quando é convertida e batizada pelo Espírito nesse corpo. Nenhuma igreja local ou denominação pode arrogar-se a pretensão de ser a única igreja verdadeira. A igreja de Cristo é supradenominacional.

Um só Espírito (4:4). É o mesmo Espírito que habita na vida de cada crente. O apóstolo Paulo diz que "se alguém não tem o Espírito de Cristo, não pertence a Cristo" (Rm 8:9).

Uma só esperança (4:4). É a esperança da volta gloriosa de Jesus, quando os mortos em Cristo receberão um corpo de glória, e os vivos serão transformados e arrebatados para encontrar o Senhor Jesus nos ares. Nesse tempo, todas as coisas serão restauradas e, então, haverá novos céus e nova terra.

Um só Senhor (4:5). Este é o nosso Senhor Jesus Cristo que morreu por nós, ressuscitou e vive por nós e, um dia, virá para nós. É difícil crer que dois crentes que dizem obedecer o mesmo Senhor sejam incapazes de andar juntos em unidade. Alguém perguntou a Gandhi, líder espiritual da Índia: "Qual é o maior impedimento para o cristianismo na Índia?" Ele respondeu: "Os cristãos". Confessar o senhorio de Cristo é um grande passo na direção da unidade entre o seu povo.

Uma só fé (4:5). Essa fé tanto é o conteúdo da verdade que cremos, o nosso credo (Jd 3; 2Tm 2:2), como é a nossa confiança pessoal em Cristo como Senhor e Salvador.

Um só batismo (4:5). Esse é o batismo pelo Espírito no corpo de Cristo (1Co 12:13). Não se trata aqui do sacramento do batismo que a igreja administra, mas daquela operação invisível que o próprio Espírito Santo realiza. Paulo não está falando aqui da forma do batismo (aspersão, efusão e imersão), mas do sentido do batismo, que é a nossa união com Cristo e sua igreja.

Um só Deus e Pai (4:6). Deus é o Pai de toda a igreja, tanto a da terra como a do céu. Deus é sobre todos, age por meio de todos e está em todos.

Os dons da unidade (4:7-11)

Paulo passa, agora, a falar sobre os dons da unidade:

> Mas a graça foi concedida a cada um de nós conforme a medida do dom de Cristo. Por isso foi dito: Subindo para o alto, levou cativo o cativeiro e deu dons aos homens. O que significa "ele subiu", senão que também desceu às partes baixas da terra? Aquele que desceu é o mesmo que também subiu muito acima de todos os céus, para preencher todas as coisas. E ele designou uns como apóstolos, outros como

profetas, outros como evangelistas e ainda outros como pastores e mestres (4:7-11).

O primeiro aspecto que Paulo trata é da variedade na unidade (4:7). Ele move-se daquilo que todos os cristãos têm em comum para aquilo que difere um cristão do outro: os dons espirituais. Os dons são dados para unir e edificar a igreja. Os dons são habilidades dadas aos crentes para que sirvam a Deus e aos irmãos de tal modo que Cristo seja glorificado, e os crentes sejam edificados. É importante ressaltar que: 1) todo cristão possui algum dom; 2) existe grande variedade de dons; 3) o Senhor glorificado é soberano na distribuição dos dons. Os dons são *charismata*; logo, "carismático" não é um termo que possa ser corretamente aplicado a determinado grupo ou movimento da igreja, visto que, de acordo com o Novo Testamento, toda a igreja é uma comunidade carismática. É o corpo de Cristo, e cada um de seus membros tem um dom (*charisma*) para exercer ou uma função para cumprir:[201]

O segundo aspecto que Paulo aborda é: como você pode descobrir e desenvolver os seus dons? Sua resposta é clara: pela comunhão na igreja (4:7). Os dons não são brinquedos particulares para o nosso próprio deleite, mas são ferramentas com as quais devemos trabalhar em prol dos outros. Se os dons não forem usados para a edificação dos outros, transformam-se em armas de combate aos outros, como aconteceu na igreja de Corinto (1Co 12—14).

O terceiro aspecto que Paulo foca é que Cristo levou cativo o cativeiro e deu dons aos homens (4:8,9). Cristo, por meio de sua morte, ressurreição e glorificação, tirou as correntes do cativeiro satânico; isto é, a humanidade cativa a Satanás passou a ser o espólio de Cristo. Assim, fomos transferidos do império das trevas e de sua escravatura e tornamo-nos escravos de Cristo e de sua justiça:[202] Cristo ascendeu ao céu como o supremo vencedor. A figura aqui é de um conquistador militar conduzindo seus cativos e distribuindo o espólio entre seus seguidores. Aqui, entretanto, os cativos não são os inimigos, mas seu próprio povo. Os pecadores que estiveram sob o domínio da carne, do mundo e do Diabo, agora, são cativos de Cristo. Quando Cristo veio à terra, foi ao mais fundo da humilhação. Quando ascendeu ao céu, ele alcançou o máximo da exaltação. A seguir, ele deu dons aos homens.

Que dons são esses, chamados dons de Cristo à igreja?

O dom de apóstolo (4:11). Jesus tinha muitos discípulos, mas apenas doze apóstolos. Um discípulo é um seguidor, um apóstolo é um comissionado. Os apóstolos tinham de ter três qualificações: 1) conhecer pessoalmente a Cristo (1Co 9:1,2); 2) ser testemunha titular da sua ressurreição (At 1:21-23); 3) ter o ministério autenticado com milagres especiais (2Co 12:12). Nesse sentido, não temos mais apóstolos hoje. Num sentido geral, todos nós fomos chamados para ser enviados (Jo 20:21). O verbo grego *apostello* quer dizer "enviar", e todos os cristãos são enviados ao mundo como embaixadores e testemunhas de Cristo para participar da missão apostólica de toda a igreja:[203] Expressamos nossa convicção de que, hoje, uma igreja apostólica é aquela que segue a doutrina dos apóstolos, e não aqueles que dão a seus líderes o título de apóstolos. Francis Foulkes é categórico quando afirma: "A partir da própria definição de apóstolo, é evidente que seu ministério devia cessar com a morte da primeira geração da igreja":[204]

O dom de profeta (4:11). Os profetas não eram apenas aqueles que previam o futuro, mas, sobretudo, aqueles que proclamavam a Palavra de Deus. Eles recebiam suas mensagens diretamente do Espírito Santo. Não temos mais mensagens revelacionais. O cânon da Bíblia está completo. Hoje não temos mais profetas, mas o dom de profecia, que é a exposição fiel das Escrituras. Concordo com John Stott quando diz que ninguém pode reivindicar uma inspiração comparável àquela dos profetas nem usar a fórmula introdutória deles: "Assim diz o Senhor". Se isso fosse possível, teríamos de acrescentar as palavras de tal pessoa às Escrituras, e toda a igreja teria de escutar e obedecer:[205] Francis Foulkes ainda corrobora: "O ministério, ou pelo menos o nome, de profeta logo deixou de existir na igreja. Sua obra, que era receber e declarar a palavra de Deus sob inspiração direta do Espírito, era mais vital antes da existência do cânon das Escrituras do Novo Testamento":[206]

O dom de evangelista (4:11). Os evangelistas eram os missionários itinerantes:[207] Todos os ministros devem fazer a obra do evangelista (2Tm 4:5). Os apóstolos e profetas lançaram o fundamento da igreja, e os evangelistas edificaram sobre esse fundamento, ganhando os perdidos para Cristo. Cada membro da igreja deve ser uma testemunha de Cristo (At 2:41-47; 8:4; 11:19-21), mas há pessoas a quem Jesus dá o dom especial de ser um evangelista. Podemos presumir que o trabalho deles era uma obra itinerante de pregação orientada pelos apóstolos, e parece ser justo chamá-los de "a milícia missionária da igreja":[208] O fato de não termos esse dom não nos desobriga de evangelizar. John Stott lança luz sobre esse assunto, quando escreve:

> Ao referir-se ao dom de evangelista, talvez se refira ao dom da pregação evangelística, ou de fazer o evangelho especialmente claro e relevante aos descrentes, ou de ajudar as pessoas medrosas a dar o passo da entrega a Cristo, ou o testemunho pessoal eficiente. Provavelmente, o

dom de evangelista tome todas estas formas diferentes e outras mais. Deve ter algum relacionamento com ministério evangelístico, seja na evangelização de massa, na evangelização pessoal, na evangelização pela literatura, na evangelização por filmes, na evangelização pelo rádio e pela televisão, na evangelização pela música ou pelo emprego de algum outro meio de comunicação:[209]

O dom de pastores e mestres (4:11). Pastores e mestres constituem um só ofício com dupla função:[210] Deus chama alguns para ser pastores e mestres. O pastor ensina e exorta. Ele alimenta, cuida, protege, vigia e consola as ovelhas (At 20:28-30). Ele faz isso por meio da Palavra. A Palavra é o alimento, a vara e também o cajado que o pastor usa. Embora todo pastor deva ser um mestre, nem todo mestre é um pastor. Todos os cinco dons vistos até aqui estão ligados ao ensino das Escrituras. A Palavra é o grande instrumento para a edificação da igreja.

O crescimento da unidade (4:12-16)

Os dons concedidos por Cristo para a igreja têm objetivos claros:

Aperfeiçoamento dos santos (4:12). "Tendo em vista o aperfeiçoamento dos santos." Não encontramos em nenhuma outra passagem do Novo Testamento a palavra grega *katartismos*, "aperfeiçoamento", embora o verbo correspondente seja usado no sentido de consertar as redes (Mc 1:19):[211] Também era empregada para o ato de restaurar um osso quebrado. Em política, o termo era usado para pôr de acordo facções opostas. A palavra pode ter o sentido de "aperfeiçoar" o que está deficiente na fé dos cristãos e dá a ideia de levar os santos a se tornarem aptos para o

A gloriosa unidade da igreja

desempenho de suas funções no corpo, sem deixar implícita a restauração de um estado desordenado:[212]

O *desempenho do serviço* (4:12b). "Para a obra do ministério." A função principal dos pastores e mestres não é fazer a obra, mas treinar os crentes para fazer a obra. A palavra grega *diakonia*, "serviço", é usada aqui não para descrever a obra de pastores, mas, sim, a obra do chamado laicato, ou seja, de todo o povo de Deus, sem exceção. Aqui temos evidência indiscutível de como o Novo Testamento vê o ministério: não como prerrogativa de uma elite clerical, mas, sim, como a vocação privilegiada de todo o povo de Deus:[213] Concordo com William Barclay quando diz que o trabalho da igreja não consiste só na pregação e ensino, mas também no serviço prático:[214] Precisamos exercer a diaconia e socorrer os necessitados.

A *edificação do Corpo de Cristo* (4:12c). "Para a edificação do corpo de Cristo." A finalidade do exercício dos dons é a edificação da igreja. Estou de acordo com John Stott quando diz que todos os dons espirituais são dons para o serviço. Não são dados para o uso egoísta, mas, sim, para o uso altruísta, isto é, para servir as outras pessoas:[215]

As evidências do crescimento espiritual da igreja podem ser vistas em quatro aspectos:

Em primeiro lugar, a *maturidade espiritual ou semelhança com Cristo* (4:13). "Até que todos cheguemos à unidade da fé e do pleno conhecimento do Filho de Deus, ao estado de homem feito, à medida da estatura da plenitude de Cristo." Nossa meta é o crescimento espiritual. Cristo é nossa vida, nosso exemplo, nossa meta e nossa força. Devemos imitá-lo e chegar à plenitude da sua estatura. A igreja impõe aos seus membros nada menos que a meta da perfeição.

Precisamos ser um reflexo do próprio Cristo, pois ele vive em nós.

Em segundo lugar, a *estabilidade espiritual* (4:14). "Para que não mais sejamos mais inconstantes como crianças, levados ao redor por todo vento de doutrina, pela mentira dos homens, pela astúcia na invenção do erro." Naturalmente, devemos ser semelhantes às crianças em sua humildade e inocência (Mt 18:3; 1Co 14:20), mas não em sua ignorância nem em sua instabilidade. As crianças instáveis são como barquinhos num mar tempestuoso, inteiramente à mercê dos ventos e das ondas:[216] A palavra grega usada por Paulo sugere a fúria das águas. Trata-se de uma agitação tão violenta que pode tontear a pessoa:[217] Um crente maduro não é jogado de um lado para o outro pelas novidades espirituais que surgem no mercado da fé. Há crentes que vivem embarcando em todas as ondas de novidades heterodoxas que assaltam a igreja e jamais se firmam na verdade. Vivem atrás de experiências e não têm discernimento para identificar os falsos ensinos. Os modismos vêm e vão. As novidades religiosas são como goma de mascar, perdem logo o doce, e as pessoas começam a mastigar borracha e, logo, precisam de outra novidade.

Em terceiro lugar, *seguir a verdade em amor* (4:15). "Pelo contrário, seguindo a verdade em amor, cresçamos em tudo naquele que é a cabeça, Cristo." A verdade sem amor é brutalidade, mas amor sem verdade é hipocrisia. "As feridas provocadas por um amigo são boas, mas os beijos de um inimigo são traiçoeiros" (Pv 27:6). Aquilo que os cristãos defendem e a maneira como o fazem deve contrastar totalmente com os homens mencionados no versículo 14. Esses homens enganam os outros em benefício próprio, ao passo que o cristão deve levar adiante a verdade a fim de trazer benefício espiritual aos outros e deve fazer isso de uma forma tão cativante como só o amor é capaz de fazer:[218]

Em quarto lugar, a *cooperação espiritual* (4:16). "Nele o corpo inteiro, bem ajustado e ligado pelo auxílio de todas as juntas, segundo a correta cooperação de cada parte, efetua o seu crescimento para edificação de si mesmo no amor." É só de Cristo, como Cabeça, o corpo recebe toda sua capacidade para crescer e para desenvolver sua atividade, recebendo, assim, uma direção única para funcionar como entidade coordenada:[219] Cada membro do corpo, não importa o quão insignificante pareça ser, tem um ministério importante a exercer para o bem do corpo. O corpo cresce, quando os membros crescem. E eles crescem quando alimentam uns aos outros com a Palavra de Deus. Crianças não podem se cuidar sozinhas. Precisamos uns dos outros. Um cristão isolado não pode ministrar aos outros nem receber ministração.

Temos aqui a visão de Paulo para a igreja. A nova sociedade de Deus deve demonstrar amor, unidade, diversidade e maturidade sempre crescente. Essas são as características de uma vida digna da vocação do nosso chamado.

NOTAS DO CAPÍTULO 7

[181] WIERSBE, WARREN W. *Comentário bíblico expositivo*, p. 44.

[182] SHEDD, Russell. *Tão grande salvação*, p. 58.

[183] FOULKES, Francis. *Efésios: introdução e comentário*, p. 90.

[184] STOTT, John. *A mensagem de Efésios*, p. 103.

185 RIENECKER, Fritz e Rogers, Cleon. *Chave linguística do Novo Testamento grego.* São Paulo: Vida Nova, 1985, p. 393.

186 STOTT, John. *A mensagem de Efésios*, p. 103.

187 WIERSBE, Warren W. *Comentário bíblico expositivo*, p. 44-49.

188 WIERSBE, Warren W. *Comentário bíblico expositivo*, p. 44.

189 HENDRIKSEN, William. *Efésios*, p. 226.

190 HAHN, Ebehard. *Carta aos Efésios.* Em Cartas aos Efésios, Filipenses e Colossenses. Curitiba: Editora Esperança, 2006, p 77.

191 FOULKES, Francis. *Efésios: introdução e comentário*, p. 90.

192 BARCLAY, William. *Galatas y Efesios*, p. 142,143.

193 STOTT, John. *A mensagem de Efésios*, p. 105.

194 FOULKES, Francis. *Efésios: introdução e comentário*, p. 90.

195 STOTT, John. *A mensagem de Efésios*, p. 105.

196 BARCLAY, William. *Palabras Griegas Del Nuevo Testamento*, p. 149,150.

197 STOTT, John. *A mensagem de Efésios*, p. 106.

198 FOULKES, Francis. *Efésios: Introdução e comentário*, p:91.

199 FOULKES, Francis. *Efésios: introdução e comentário*, p. 91.

200 WIERSBE, Warren W. *Comentário bíblico expositivo*, p. 45.

201 STOTT, John. *A mensagem de Efésios*, p. 111.

202 SHEDD, Russell. *Tão grande salvação*, p. 59.

203 STOTT, John. *A mensagem de Efésios*, p. 114,115.

204 FOULKES, Francis. *Efésios: introdução e comentário*, p. 98.

205 STOTT, John. *A mensagem de Efésios*, p. 116.

206 FOULKES, Francis. *Efésios: introdução e comentário*, p. 98.

207 HENDRIKSEN, William. *Efésios*, p. 244.

208 FOULKES, Francis. *Efésios: introdução e comentário*, p. 99.

209 STOTT, John. *A mensagem de Efésios*, p. 117.

210 VAUGHAN, Curtis. *Efésios*, p. 110.

211 FOULKES, Francis. *Efésios: introdução e comentário*, p. 99.

212 FOULKES, Francis. *Efésios: introdução e comentário*, p. 100.

213 STOTT, John. *A mensagem de Efésios*, p. 120.

214 BARCLAY, William. *Galatas y Efesios*, p. 156.

215 STOTT, John. *A mensagem de Efésios*, p. 121.

216 STOTT, John. *A mensagem de Efésios*, p. 123.

217 FOULKES, Francis. *Efésios: introdução e comentário*, p. 101,102.

218 FOULKES, Francis. *Efésios: introdução e comentário*, p. 102.

219 FOULKES, Francis. *Efésios: introdução e comentário*, p. 103.

Capítulo 8

Um novo estilo de vida
(Ef 4:17-32)

EM EFÉSIOS 4:1-16, PAULO TRATOU da unidade da igreja. Nesse parágrafo, ele trata da pureza da igreja. Paulo faz o mesmo tipo de introdução nos versículos 1 e 17. A pureza é uma característica do povo de Deus tão indispensável quanto a unidade.

Mais uma vez, faço coro ao que escreveu Warren Wiersbe ao afirmar a tríplice ênfase de Paulo no texto em apreço: admoestação, argumentação e aplicação:[220]

Admoestação: uma clara ruptura com os velhos costumes pagãos (4:17-19)

O apóstolo começa enfatizando o fator intelectual no modo de vida das pessoas. Quando Paulo descreve os pagãos, chama a atenção para algumas coisas: 1) vaidade de seus próprios pensamentos; 2) obscurecimento de entendimento; 3) ignorância em que vivem. Suas mentes estão vazias, seus entendimentos estão obscurecidos e eles vivem na ignorância. Isso os tornou empedernidos, licenciosos e impuros.

Francis Foulkes tem razão quando diz que, sem o conhecimento de Deus, tudo, em última análise, é vaidade, pois não há qualquer sentido e propósito em nada. Pode haver muito conhecimento, mas não há luz de sabedoria na mente, pois o entendimento está obscurecido:[221]

Depois, Paulo começa a falar sobre o caminho dos gentios. A vida cristã começa com *arrependimento*, que é a mudança de mente. Toda a vida da pessoa precisa mudar quando do ela confia em Cristo, incluindo seus valores, suas metas e seus conceitos da vida. A ordem de Paulo é: "Não andeis mais como andam os gentios". Agora que você é crente, sua vida precisa ser diferente. Como é a vida dos gentios?

Primeiro, Paulo fala da *vaidade de seus próprios pensamentos* (4:17). "Portanto, digo e dou testemunho no Senhor que não andeis mais como andam os gentios, em pensamentos fúteis." Os cristãos pensam de forma diferente das pessoas não salvas. O pensamento dos pagãos é um pensamento fútil, cheio de soberba e empáfia. Quem não conhece a Deus, não conhece o mundo ao seu redor nem a si mesmo (Rm 1:21-25). Temos muita ciência e pouca sabedoria.

Segundo, Paulo fala sobre *entendimento obscurecido* (4:18a). "Obscurecidos no entendimento." Os gentios pensam que eles são iluminados porque rejeitam a Bíblia e o conhecimento de Deus e creem na última filosofia, quando, na realidade, eles estão em trevas. O apóstolo Paulo diz:

"Dizendo-se sábios, tornaram-se loucos" (Rm 1:22). Mas eles pensam que são sábios. Satanás cegou a mente deles (2Co 4:3-6).

Terceiro, Paulo diz que os gentios vivem *alheios à vida de Deus* (4:18b). "Separados da vida de Deus." Vivem sem esperança e sem Deus no mundo. Vivem separados de Deus. Adoram outros deuses e abandonam o Deus vivo.

Quarto, Paulo afirma que os gentios *vivem na ignorância* (4:18c). "Pela ignorância [...]." João Calvino, no início de sua obra *Institutas da religião cristã*, diz acertadamente que o verdadeiro conhecimento começa com Deus. Quem não conhece a Deus é escravo da ignorância. A verdade e a vida caminham juntas. Se você crê na verdade de Deus, então você recebe a vida de Deus.

Quinto, Paulo trata da *dureza de coração dos gentios* (4:18d). "[...] e dureza do coração." A palavra grega que Paulo usa é *porosis*. *Póros* era uma pedra mais dura do que o mármore:[222] Essa palavra era usada na medicina para calo ou formação óssea nas juntas. Quer dizer petrificar, tornar duro e insensível:[223] O termo chegou a ter o sentido de perda de toda capacidade sensitiva. Paulo diz que a mente deles se tornou dura como pedra, e a consciência ficou cauterizada. Nesse coração duro como pedra não há lugar para Deus nem para os lídimos valores morais:[224] Paulo diz que os pagãos chegam a ponto de perder a sensibilidade.

William Barclay está coberto de razão quando diz que o horrível do pecado é seu efeito petrificador:[225] No começo, a pessoa sente vergonha ao pecar. Depois, perde o pudor, o temor e o horror. Peca sem remorso nem pesar. A consciência petrifica-se. Há uma lenda que retrata bem esse processo da petrificação. Essa lenda fala da dependência do álcool. Conta a lenda que o álcool é uma composição

Efésios — Igreja, a noiva gloriosa de Cristo

formada pelo sangue do pavão, do leão, do macaco e do porco. Quando o homem começa a beber sente-se bonito, atraente como um pavão. Depois, sente-se forte e valente como um leão. Em seguida, começa a fazer mesuras como um macaco. Mas, no fim, chafurda na lama como um porco. Esse é o processo do pecado. O estágio final dessa escalada é a perda total da tristeza pelo pecado. A consciência está abafada, a mente cauterizada e o coração endurecido. O passo seguinte é a conduta ultrajante, sem qualquer preocupação com padrões pessoais nem sanções sociais. É a rendição desavergonhada a toda sorte de imoralidade:[226]

Sexto, Paulo diz que os gentios *entregam-se à dissolução para cometer toda sorte de impureza* (4:19a). "Havendo se tornado insensíveis, entregaram-se à devassidão." Nada os refreia de satisfazer seu desejo imundo. A dureza de coração leva, primeiro, às trevas mentais; depois, à insensibilidade da alma e, finalmente, à vida desenfreada. Devassidão ou lascívia, aqui, é a tradução da palavra grega *aselgeia*: disponibilidade para qualquer prazer. O homem sempre procura ocultar seu pecado, mas o que tem *aselgeia* em sua alma não tem cuidado o choque que seu pecado possa causar na opinião pública. Ele perde a decência e a vergonha:[227] Tendo perdido a sensibilidade, as pessoas perdem todo o autocontrole. William Barclay diz que, em muitos aspectos, *aselgeia* é a palavra mais feia das que figuram na lista de pecados do Novo Testamento. Trata-se da disposição para os prazeres, disposição que não aceita qualquer forma de disciplina nem de autocontrole. É o espírito que não conhece limitações e se entrega desenfreadamente ao desvario dos desejos insensatos. Ao pé da letra, o homem que tem *aselgeia* é aquele que perdeu completamente a vergonha e já não se importa mais com a opinião dos outros:[228]

Sétimo, Paulo diz que os gentios *entregam-se à avidez* (4:19b). "Para cometer com avidez todo tipo de impureza." A palavra grega *pleonexia* quer dizer avidez arrogante ou execrável desejo de possuir. Trata-se do desejo ilícito de possuir o que pertence a outro, ou seja, o espírito pelo qual o homem está sempre disposto a sacrificar seu próximo para satisfazer seus caprichos. *Pleonexia* é o desejo irresistível de ter aquilo a que não se tem direito algum: sejam bens, sexo ou qualquer outra coisa:[229] Francis Foulkes diz que *pleonexia* é o desejo de ter mais do que é devido, a paixão de possuir sem qualquer consideração para com o que seja justo ou para com o direito das outras pessoas:[230]

William Barclay afirma que *pleonexia,* no grego clássico, tem o sentido de cobiça feroz, ou seja, o espírito do homem que emprega todos os meios possíveis para se aproveitar de seu próximo. É defraudar o outro com astúcia. É usar de esperteza para conseguir o que não é lícito? É ambição desmedida. É o maldito amor de possuir aquilo que não é legítimo. É o injusto desejo de ter tudo aquilo que não lhe pertence:[231]

Esse é o retrato da sociedade contemporânea. Essa imagem está estampada em todos os jornais e noticiários. Ela é vista nas esquinas das ruas. Em cada canto da cidade há *outdoors* fazendo propaganda do pecado sem nenhum pudor. A sociedade está falida moralmente.

Argumentação — a verdade tal como ela é em Jesus (4:20-24)

Acompanhemos o relato de Paulo:

> Mas vós não aprendestes assim de Cristo. Se é que de fato o ouviste, nele fostes instruídos, conforme a verdade que está em Jesus, a vos despir do velho homem, do vosso procedimento anterior, que se

> corrompe pelos desejos maus e enganadores, e a vos renovar no espírito da vossa mente, e a vos revestir do novo homem, criado segundo Deus em verdadeira justiça e santidade (4:20-24).

Paulo contrasta a vida do ímpio com a vida do crente, quando usa o *vós* e o *mas*. A ênfase é novamente a mente ou a cosmovisão do cristão: 1) aprendestes a Cristo; 2) se de fato o ouviste; 3) nele fostes instruídos; 4) vos renovar no espírito da vossa mente; 5) e vos revestir do novo homem, criado segundo Deus em verdadeira justiça e santidade.

É importante notar que Paulo fala de aprender com Cristo, e não sobre Cristo (4:20). Aprender com Cristo representa ter um estreito relacionamento com ele. Aprender sobre Cristo é ter informações sobre ele. Uma pessoa pode conhecer sobre Cristo e não ser salva. Posso aprender sobre Rui Barbosa porque tenho livros sobre sua vida, mas jamais posso aprender a Rui Barbosa, porque ele está morto. Jesus Cristo está vivo. Portanto, posso aprender com Cristo.

Cristo é a substância, o mestre e o ambiente de ensino (4:21). Cristo é o conteúdo do ensino: aprendemos com Cristo. Mas Cristo também é o mestre: "o ouviste". Outrossim, Cristo é o ambiente: "nele fostes instruídos, conforme a verdade que está em Jesus". Quanto mais conheço a Palavra de Deus, mais conheço o Filho de Deus. Aprender com Cristo não é além do que tirar a nossa velha humanidade como uma roupa podre e vestir a nova humanidade criada na imagem de Deus como uma roupa nova (4:22-24):[232] A conversão básica deve ser seguida pela conversão diária.

Tornar-se cristão envolve uma mudança radical (4:22-24). Envolve o repúdio do nosso próprio "eu" antigo, da nossa humanidade caída, e a adoção de um novo "eu" ou da humanidade criada de novo. Veja o contraste entre os *dois homens*: o velho se corrompe, o novo é criado segundo Deus; o velho era dominado por paixões descontroladas, o novo foi criado em justiça e santidade; os desejos do velho eram do engano, a justiça do novo é da verdade. O pagão se corrompe por causa da futilidade de sua mente. O cristão se renova por causa da renovação de sua mente.

Tornar-se cristão envolve tirar as vestes da sepultura e vestir-se de novas roupagens. Lázaro esteve na sepultura por quatro dias. Cristo ressuscitou-o, e Lázaro levantou-se do sepulcro, mas coberto da mortalha. Cristo ordenou: "Desatai-o e deixai-o ir". Devemos também, da mesma forma, tirar as roupagens do velho homem e revestir-nos das roupagens do novo homem.

Aplicação (4:25-32)

Paulo não apenas expôs princípios, mas, agora, aplica-os a diferentes áreas da vida. Paulo chama alguns pecados pelo nome. Cinco diferentes pecados são mencionados, os quais a igreja precisa evitar. Esses pecados tratam dos relacionamentos entre os crentes. As ordens negativas vêm balanceadas com ordens positivas. Cada ordem dada vem respaldada por uma argumentação teológica:

Em primeiro lugar, Paulo fala sobre a *mentira* (4:25). "Por isso, abandonai a mentira, e cada um fale a verdade com seu próximo, pois somos membros uns dos outros." A mentira é a afirmação contrária aos fatos, falada com o propósito de enganar:[233] A mentira abrange toda a espécie de trapaças:[234] O Diabo é o pai da mentira (Jo 8:44). Quando falamos a verdade, Deus está trabalhando em nós; quando falamos a mentira, o Diabo está agindo por nosso intermédio. Os mentirosos, ou seja, aqueles que são controlados pela mentira, não herdarão o reino de Deus (Ap 22:15). O primeiro pecado condenado na igreja primitiva foi o da mentira (At 5:1-11). A mentira destrói a comunhão da igreja, diz o apóstolo Paulo. A comunhão é edificada na confiança. A falsidade subverte a comunhão, ao passo que a verdade a fortalece:[235]

Em segundo lugar, Paulo fala sobre a *ira* (4:26,27). "Quando sentirdes raiva, não pequeis; e não conserveis a vossa raiva até o pôr do sol; nem deis lugar ao Diabo." Há dois tipos de raiva: a justa (4:26) e a injusta (4:31). Precisamos sentir raiva justa: a ira de Wilberforce contra a escravidão na Inglaterra é um exemplo de raiva justa. A raiva de Moisés contra a idolatria é outro exemplo clássico. A raiva de Lutero contra as indulgências é um dos mais claros exemplos desse ensinamento de Paulo. A raiva de Jesus no templo ao expulsar os cambistas é o exemplo por excelência desse princípio bíblico.

Se Deus odeia o pecado, seu povo também deve odiá-lo. Se o mal desperta sua raiva, também deve despertar a nossa (Sl 119:53). Ninguém deve ficar raivado a não ser que esteja raivado contra a pessoa certa, no grau certo, na hora certa, pelo propósito certo e no caminho certo.

Paulo qualifica sua expressão permissiva *sentirdes raiva* com três negativos:[236] 1) "Não pequeis". Devemos nos assegurar de que nossa raiva esteja livre de orgulho, despeito, malícia ou espírito de vingança; 2) "Não conserveis a vossa raiva até o pôr do sol". Paulo não está permitindo a você ficar com raiva durante um dia, ele está exortando a não armazenar a raiva, pois pode virar raiz de amargura; 3) "Nem deis lugar ao Diabo". O Diabo gosta de ficar espreitando as pessoas zangadas para tirar proveito da situação, como fez com Caim.

Jay Adams, em seu livro *O conselheiro capaz*, fala sobre duas maneiras erradas de lidar com a raiva: a primeira delas é a ventilação da raiva. Há pessoas que são explosivas, que atiram estilhaços para todos os lados, ferindo as pessoas com seu destempero emocional. A segunda maneira errada de lidar com a raiva é o congelamento dela. O indivíduo não a joga para fora, mas para dentro. O resultado disso é a amargura. A solução para o congelamento da raiva é o perdão. É espremer o pus da ferida até o fim, fazendo uma assepsia da alma, uma faxina da mente, uma limpeza do coração.

Em terceiro lugar, Paulo fala sobre o *roubo* (4:28). "Aquele que roubava, não roube mais; pelo contrário, trabalhe, fazendo com as mãos o que é bom, para que tenha o que repartir com quem está passando necessidade." Deus estabelece o direito de propriedade. O roubo inclui toda sorte de desonestidade que visa tirar do outro aquilo que lhe pertence: pesos, medidas, salários, trabalho, impostos, dízimo etc. Da mesma forma como o Diabo é mentiroso e assassino, é também ladrão (Jo 10:10). Ele fez de Judas um ladrão (Jo 12:6). Quando ele tentou Eva, ele a levou a roubar (tomou do fruto proibido). Ela fez de Adão um ladrão, porque ele também tomou do fruto. O primeiro Adão foi ladrão e foi expulso do paraíso, mas o último Adão, Cristo, voltou-se para um ladrão e lhe disse: "Hoje estarás comigo no paraíso" (Lc 23:43).

Não basta ao desonesto parar de furtar. Paulo dá mais duas ordens: trabalhar para o sustento próprio e trabalhar para ajudar os outros. Ao invés de ser parasita da sociedade, ser benfeitor![237] Francis Foulkes tem razão quando diz que a motivação cristã para ganhar não é ter o suficiente somente para si e para os seus, e, além disso, ter talvez para o conforto e o luxo, mas ter para dar aos necessitados. Dessa maneira, a filosofia cristã de trabalho é elevada bem acima do pensamento acerca do que é certo ou correto no "campo econômico"; é elevada a uma posição em que não há lugar para o egoísmo nem motivo para o lucro pessoal:[238]

Em quarto lugar, Paulo fala sobre *palavras torpes* (4:29,30; ARA). "Não saia da vossa boca nenhuma palavra torpe, e sim unicamente a que for boa para edificação, conforme a necessidade, e, assim, transmita graça aos que ouvem. E não entristeçais o Espírito de Deus, no qual fostes selados para o dia da redenção." O apóstolo volta-se do uso das nossas mãos para o uso da nossa boca. A palavra *torpe* vem do grego *sapros*, palavra que se emprega para árvores e frutos podres[239] e peixe podre:[240] É o tipo de palavra que prejudica os ouvintes. Um cristão não pode ter uma boca suja (Rm 3:14). Quando o coração muda, a boca também muda. Nossa comunicação precisa ser positiva: 1) boa; 2) edificante; 3) necessária; 4) transmissora de graça aos que ouvem.

Jesus disse que há uma conexão entre o coração e a boca. A boca fala do que o coração está cheio. Também prestaremos conta no dia do juízo por todas as palavras frívolas que proferimos (Mt 12:33-37). Nossa língua pode ser uma fonte de vida ou um instrumento de morte (Tg 3:5-8). Podemos animar as pessoas ou destruí-las com a nossa língua (Pv 12:18). A fala torpe entristece o Espírito que é santo. A. W. Tozer é oportuno quando escreve: "O Espírito Santo é uma Pessoa viva e deve ser tratado como tal. Nunca devemos pensar nele como uma energia cega nem como uma força impessoal. Ele ouve, vê e sente como qualquer outra pessoa. Podemos agradá-lo ou entristecê-lo. Ele responderá ao nosso tímido esforço por conhecê-lo e virá ao nosso encontro no meio do caminho":[241]

Em quinto lugar, Paulo fala sobre a *amargura* (4:31,32). "Toda amargura, cólera, ira, gritaria e blasfêmias sejam eliminadas do meio de vós, bem como toda maldade. Pelo contrário, sede bondosos e tende compaixão uns para com os outros, perdoando uns aos outros, assim como Deus vos perdoou em Cristo." Paulo usa aqui seis atitudes pecaminosas nos relacionamentos: 1) *amargura* — a palavra grega *pikria*, "amargura", refere-se a um espírito azedo, uma conversa azeda, um espírito ressentido que se recusa a se reconciliar. É aquele estado irritado de mente que mantém o homem em perpétua animosidade — que tende a ter opiniões duras e descaridosas acerca dos seres humanos e das coisas —, que o torna fechado, irritadiço e repulsivo em seu relacionamento em geral[242]; 2) *cólera* — a palavra grega *thymos*, "cólera", traz a ideia de uma fúria apaixonada[243]. Refere-se a uma ira temporária; 3) *ira* — a palavra grega *orge*, "ira", tem que ver com uma hostilidade mais firme e sombria, ou seja, uma ira mais sutil e profunda; 4) *gritaria* — a palavra grega *krauge*, "gritaria", descreve as pessoas que erguem a voz numa altercação, começam a gritar e até a berrar umas contra as outras; 5) *blasfêmia* — a palavra grega *blasphemia*, "blasfêmia", quer dizer falar mal dos outros, especialmente pelas costas, difamando e destruindo a reputação das pessoas; 6) *malícia* — a palavra grega *kakia*, "malícia", quer dizer má vontade, incluindo o desejar e tramar o mal contra as pessoas:[244]

Essas atitudes pecaminosas devem ser substituídas pela benignidade, compaixão e perdão. Esse é o modo de andar digno de Deus.

EFÉSIOS — Igreja, a noiva gloriosa de Cristo

NOTAS DO CAPÍTULO 8

[220] Wiersbe, Warren W. *Comentário bíblico expositivo*, p. 50-55.
[221] Foulkes, Francis. *Efésios: introdução e comentário*, p. 105.
[222] Barclay, William. *Galatas y Efesios*, p. 159.
[223] Stott, John. *A mensagem de Efésios*, p. 128,129.
[224] Foulkes, Francis. *Efésios: introdução e comentário*, p. 105.
[225] Barclay, William. *Galatas y Efesios*, p. 160.
[226] Foulkes, Francis. *Efésios: introdução e comentário*, p. 106.
[227] Barclay, William. *Galatas y Efesios*, p. 160.
[228] Barclay, William. *Palabras Griegas Del Nuevo Testamento*, p. 46,47.
[229] Barclay, William. *Galatas y Efesios*, p. 161.
[230] Foulkes, Francis. *Efésios: introdução e comentário*, p. 106.
[231] Barclay, William. *Palabras Griegas Del Nuevo Testamento*, p. 178.
[232] Stott, John. *A mensagem de Efésios*, p. 132.
[233] Wiersbe, Warren W. *Comentário bíblico expositivo*, p. 52.
[234] Vaughan, Curtis. *Efésios*, p. 120.
[235] Stott, John. *A mensagem de Efésios*, p. 136.
[236] Stott, John. *A mensagem de Efésios*, p. 137.
[237] Stott, John. *A mensagem de Efésios*, p. 138.
[238] Foulkes, Francis. *Efésios: introdução e comentário*, p. 112.
[239] Stott, John. *A mensagem de Efésios*, p. 139.
[240] Shedd, Russell. *Tão grande salvação*, p. 67.
[241] Tozer, A. W. *A vida cheia do Espírito*. Em Cinco votos para obter poder espiritual. São Paulo: Editora dos Clássicos, 2004, p. 48,49.
[242] Rienecker, Fritz e Rogers, Cleon. *Chave linguística do Novo Testamento grego*, p. 396.
[243] Rienecker, Fritz e Rogers, Cleon. *Chave linguística do Novo Testamento grego*, p. 396.
[244] Stott, John. *A mensagem de Efésios*, p. 140.

Capítulo 9

Imitadores de Deus
(Ef 5:1-17)

Vivemos dois extremos quando se trata de imitar a Deus. Primeiro, a teologia de que o homem é um semideus. O homem fala e há poder em suas palavras. Ele decreta, e as coisas acontecem. Ele ordena, e o mundo espiritual precisa se pôr em movimento em obediência às suas ordens. Segundo, a teologia de que Deus é um ser em desuso. O mundo secularizado não leva Deus em conta. Explica tudo pela ciência. Não há lugar nem espaço para Deus.

Não podemos imitar a Deus em sua soberania, onipotência, onisciência e onipresença. Não podemos imitar a Deus na criação nem na redenção.

A imitação a Deus é um ensino claro das Escrituras (Mt 5:43-48; Lc 6:35; 1Jo 4:10,11). Devemos imitar também a Cristo (Jo 13:34; 15:12; Rm 15:2,3,7; 2Co 8:7,9; Fp 2:5; 1Jo 3:16).

Paulo argumenta que os filhos são como seus pais. Os filhos aprendem pela imitação. Deus é amor (1Jo 4:8); por isso, os crentes devem andar em amor. Deus é luz (1Jo 5:8); portanto, os crentes devem andar como filhos da luz. Deus é verdade (1Jo 5:6); por isso, os crentes devem andar em sabedoria:[245]

Andar em amor (5:1,2)

Paulo escreve: "Portanto, sede imitadores de Deus, como filhos amados; e andai em amor como Cristo, que também nos amou e se entregou por nós a Deus como oferta e sacrifício com aroma suave" (5:1,2). O que é ser um imitador de Deus? A palavra *imitar* vem da mesma palavra que mímica. A mímica era a parte mais importante no desempenho de um orador. Três coisas faziam parte da vida de um grande orador: teoria, mímica e prática. Se você quiser ser um grande orador, então imite os grandes oradores do passado. Mas, se você quiser ser santo, então imite a Deus.

Quais são os limites dessa imitação? Paulo diz que devemos imitar a Deus no amor. Andar em amor denota uma ação habitual. É fazer do amor a principal regra da nossa vida. Esse amor possui duas características distintas: primeiro, *o perdão.* (Deus amou-nos e perdoou-nos (4:32); assim, também devemos amar e perdoar (5:1)); segundo, *o sacrifício* (5:2). Esse amor não é mero sentimento. Ele tudo dá pelo irmão sem levar em conta nenhum sacrifício por aquele a quem é dedicado. O sacrifício de Cristo foi agradável a Deus no sentido de que satisfez sua justiça e adquiriu eterna e eficaz redenção para nós.

Andar como filhos da luz (5:3-14)

Paulo passa do autossacrifício, para a autoindulgência. A ordem "andai em amor" é seguida da condenação da perversão do amor. Os crentes são santos (5:3,4), são reis (5:5,6) e são luz (5:7-14).

Paulo, ao tratar do assunto santidade, menciona os pecados dos quais é preciso fugir: "Mas a prostituição e todo tipo de impureza ou cobiça nem sequer sejam mencionados entre vós, como convém a santos, nem haja indecências, nem conversas tolas, nem gracejos obscenos; pois essas coisas são inconvenientes; pelo contrário, haja ações de graças" (5:3,4). Os pecados estão ligados a dois grupos: pecados do sexo (5:3) e pecados da língua (5:4).

Os pecados do sexo não deviam estar presentes na vida dos crentes. A infidelidade conjugal era espantosamente comum nos dias de Paulo. O homossexualismo havia séculos era admitido como uma maneira normal de proceder. Dos quinze imperadores romanos, catorze eram homossexuais. A imoralidade grassava nos templos de Afrodite, em Corinto, e de Diana, em Éfeso. A imoralidade sexual era uma prática comum nesse tempo.

Os pecados da língua também não deviam estar presentes na vida dos crentes. Conversação tola, palavras vãs ou chocarrices não devem fazer parte do vocabulário dos crentes. Os cristãos não devem falar palavras obscenas, contar piadas imorais nem se envolver com mexericos fúteis.

Porque somos a nova sociedade de Deus devemos adotar padrões novos e porque decisivamente nos despojamos da velha vida e nos revestimos da nova vida devemos usar

EFÉSIOS — Igreja, a noiva gloriosa de Cristo

roupas apropriadas. Agora, Paulo acrescenta mais dois incentivos à santidade.

Em primeiro lugar, Paulo alerta para a *certeza do julgamento*. "Porque bem sabeis que nenhum devasso, ou impuro, ou avarento, que é idólatra, tem herança no reino de Cristo e de Deus. Ninguém vos engane com palavras sem sentido; pois é por causa dessas coisas que a ira de Deus vem sobre os desobedientes. Portanto, evitai a companhia deles" (5:5-7). Devemos abster-nos da imoralidade, porque nosso corpo foi criado por Deus, é unido a Cristo e é habitado pelo Espírito (1Co 6:12-20). Dessa forma, a licenciosidade não convém aos santos (5:3,4).

Agora, Paulo menciona o temor do julgamento. Os imorais podem escapar do julgamento da terra, mas não do juízo de Deus. Paulo diz que os imorais não herdarão o reino de Cristo (5:5). O reino de Cristo é o reino de justiça, e dele será excluída toda injustiça (1Co 6:9,10; Gl 5:21). Aquele que se entrega ao pecado sexual como uma obsessão idólatra e não se arrepende não pode ser salvo.

Paulo fala sobre o engano dos falsos mestres que tentam silenciar a voz de Deus (5:6). Muitas pessoas dizem que a Bíblia é reducionista, que o problema não é o pecado, mas a culpa. O mundo acha natural e aplaude o que Deus condena. Mas quem faz isso não rejeita a homens, mas a Deus. Ele é o vingador contra todas essas coisas (1Ts 4:4-8).

O apóstolo trata ainda da manifestação da ira de Deus sobre os filhos da desobediência (5:6). Os filhos da desobediência são aqueles que conhecem a lei de Deus e deliberadamente a desobedecem. Sobre esses vem a ira de Deus agora e na eternidade (4:17-19; Rm 1:24,26,28).

Paulo exorta os filhos de Deus a evitar a companhia dos impuros (5:7). Porque o reino de Deus é justo e a ira de Deus sobrevirá aos injustos, os cristãos não devem ser participantes com eles. Paulo não está proibindo você de conviver com essas pessoas, mas de ser coparticipante com elas e parceiro de seus pecados.

Em segundo lugar, Paulo fala sobre o *fruto da luz* (5:8-14). Três são as responsabilidades decorrentes do conceito de que os crentes são "luz no Senhor".

Eles têm de andar como filhos da luz (5:8). "Pois no passado éreis trevas, mas agora sois luz no Senhor. Assim, andai como filhos da luz." Antes não apenas andávamos em trevas, mas éramos trevas. Agora, não só estamos na luz, mas somos luz. Devemos viver de acordo com o que somos. A luz purifica, ilumina, aquece, aponta a direção, avisa sobre os perigos e produz vida.

Aqueles que são luz no Senhor devem produzir frutos luminosos (5:9,10). "[...] (pois o fruto da luz está em toda bondade, justiça e verdade), procurando saber o que é agradável ao Senhor." Toda bondade, justiça e verdade contrastam com a vida impura e lasciva daqueles que são trevas e vivem nas trevas. A bondade (*agathesyne*) é certa generosidade de espírito. A justiça (*dikaiosyne*) é dar aos homens e a Deus o que lhes pertence. A verdade (*aletheia*) não é simplesmente algo intelectual que se absorve com a mente. A verdade é moral; não só é algo que se conhece, mas que se faz:[246]

Os filhos da luz precisam condenar as obras infrutíferas das trevas (5:11). "E não vos associeis às obras infrutíferas das trevas; pelo contrário, condenai-as." Precisamos não ser cúmplices e reprová-las, ou seja, desmascarar o que elas são, trazendo-as para a luz.

As obras das trevas são indizivelmente más: "Pois é vergonhoso até mesmo mencionar as coisas que eles fazem às escondidas" (5:12). A indústria pornográfica e os estúdios de Holywood fazem grande sucesso porque promovem o proibido, escancaram o que é sujo e podre.

O pecado não pode ficar oculto diante da luz: "Mas todas essas coisas, sendo condenadas, manifestam-se pela luz, pois tudo que se manifesta é luz" (5:13). O versículo 14 é uma conclusão natural: "Por isso se diz: Desperta, tu que dormes, levanta-te dentre os mortos, e Cristo te iluminará". A nossa condição anterior em Adão é vividamente descrita em termos de sono, de morte e de trevas. Cristo liberta-nos de tudo isso. A conversão não é nada menos do que despertarmos do sono, ressuscitarmos dentre os mortos e sermos trazidos das trevas para a luz de Cristo.

Andar em sabedoria (5:15-17)

Paulo apresenta várias razões para andarmos de forma sábia: 1) a vida é curta (5:16a); 2) os dias são maus (5:6b); 3) Deus nos deu uma mente (5:17a); e 4) Deus tem um plano para nossa vida (5:17b). Os versos 15-17 definem o andar da sabedoria em dois pontos:

Primeiro, *as pessoas sábias tiram o maior proveito do seu tempo* (5:15,16; ARA). "Portanto, vede prudentemente como andais; não como néscios, e sim como sábios, remindo o tempo, porque os dias são maus." O verbo "remir" quer dizer comprar de volta. Aqui, tem o sentido de tirar o maior proveito do tempo. "Tempo", *kairós,* refere-se a cada oportunidade que surge:[247]

Russell Shedd define a expressão 'remir o tempo' como aproveitar o tempo. O cristão deve usar o seu tempo (como pode usar seu dinheiro, sua capacidade, seu conhecimento, sua mente) para retirar de Satanás o tempo. Comprar "para libertar" do poder satânico aquilo que ele já escravizou no mundo. A característica do nosso século é gastar mais e mais tempo sem trazer benefício para o que é divino. Satanás tenta nos pressionar para que, pela falta de tempo, não pensemos nos valores reais. O Senhor deseja que resgatemos as horas para ele:[248]

Com certeza, as pessoas sábias têm consciência de que o tempo é um bem precioso. Todos nós temos a mesma quantidade de tempo ao nosso dispor: 60 minutos por hora, 24 horas por dia. As pessoas sábias empregam seu tempo de forma proveitosa. Li algures sobre um aviso no boletim de uma igreja. O aviso era assim: 1) "PERDIDAS, ontem, nalgum lugar entre o nascer e o pôr do sol, duas horas de ouro, cada uma cravejada com sessenta minutos de diamante. Nenhuma recompensa é oferecida, pois foram-se para sempre!" 2) "RESOLVIDO: nunca perder um só momento de tempo, mas, sim, tirar proveito dele da maneira mais proveitosa que puder":[249]

Segundo, *as pessoas sábias discernem a vontade de Deus* (5:17). "Por isso, não sejais insensatos, mas entendei qual a vontade do Senhor." O próprio Jesus orou: "Não seja feita a minha vontade, mas a tua" (Lc 22:42); e ensinou-nos a orar: "Seja feita a tua vontade, assim na terra como no céu" (Mt 6:10). Nada é mais importante na vida do que descobrir e praticar a vontade de Deus. A coisa mais importante na vida é estar no centro da vontade de Deus. O jovem missionário Ashbel Green Simonton, pioneiro do presbiterianismo no Brasil, era o caçula de nove irmãos. Seu pai era médico, deputado federal e presbítero. Formado no Seminário de Princeton, esse jovem brilhante recebeu o chamado para vir para o Brasil ao ouvir um sermão de seu professor Charles Hodge. Muitos tentaram demovê-lo dessa arriscada empreitada, uma vez que precisaria renunciar ao conforto de sua casa, à riqueza da sua nação e vir para um país de muitas doenças endêmicas. Quando as pessoas lhe diziam que essa decisão era muito perigosa, ele sempre respondia: "O lugar mais seguro para um homem estar é no centro da vontade de Deus". Simonton chegou ao Brasil no dia 12 de agosto de 1859. Em apenas oito anos de um profícuo ministério, ele deixou plantada uma igreja que hoje é uma forte denominação. Simonton morreu jovem, com 34 anos de idade, mas deixou em solo pátrio uma igreja que influencia a sociedade brasileira e é uma voz altissonante a proclamar o evangelho da graça.

Notas do capítulo 9

[245] WIERSBE, Warren W. *Comentário bíblico expositivo*, p. 56.
[246] BARCLAY, William. *Galatas y Efesios*, p. 172.
[247] STOTT, John. *A mensagem de Efésios*, p. 150,151.
[248] SHEDD, Russell. *Tão grande salvação*, p. 70.
[249] STOTT, John. *A mensagem de Efésios*, p. 151.

Capítulo 10

Como ter uma vida cheia do Espírito Santo
(Ef 5:18-21)

PAULO, NESSA SEÇÃO PRÁTICA, FALA sobre a unidade e a pureza da igreja. Agora, ele fala sobre novos relacionamentos. No restante da carta, ele concentra-se em mais duas dimensões do viver cristão.

A primeira dimensão diz respeito aos relacionamentos práticos (lar e trabalho), e a segunda dimensão diz respeito ao inimigo que enfrentamos. Essas duas responsabilidades (o lar e o trabalho, de um lado, e o combate espiritual, de outro) são bem diferentes entre si. O marido e a esposa, os pais e os filhos, os senhores e os servos são seres humanos visíveis e tangíveis, ao passo que o Diabo e suas hostes, dispostos a trabalhar contra nós, são seres demoníacos, invisíveis e intangíveis. Nossa fé deve estar à altura dessas duas dimensões.

Paulo introduz essas duas dimensões com um imperativo e quatro gerúndios: enchei-vos + falando + louvando + dando graças + sujeitando.

A importância da plenitude do Espírito Santo

O apóstolo Paulo escreve:

> E não vos embriagueis com vinho, que leva à devassidão, mas enchei-vos do Espírito, falando entre vós com salmos, hinos e cânticos espirituais, cantando e louvando ao Senhor no coração, e sempre dando graças por tudo a Deus, o Pai, em nome de nosso Senhor Jesus Cristo, sujeitando-vos uns aos outros no temor de Cristo (5:18-21).

Seria impossível exagerar a importância que o Espírito Santo exerce em nossa vida: Paulo já falou que somos selados pelo Espírito (1:13,14) e que não devemos entristecer o Espírito (4:30). Agora, ele ordena que sejamos cheios do Espírito (5:18). É o Espírito Santo quem nos convence de que pecamos. É ele quem opera em nós o novo nascimento. É ele quem nos ilumina o coração para entendermos as Escrituras. É ele quem nos consola e intercede por nós com gemidos inexprimíveis. É ele quem nos batiza no corpo de Cristo. É ele quem testifica com o nosso espírito que somos filhos de Deus. É ele quem habita em nós.

Todavia, é possível ser nascido do Espírito, ser batizado com o Espírito, habitado pelo Espírito, selado pelo Espírito e, ainda assim, estar sem a plenitude do Espírito. Nós que já temos o Espírito, que somos batizados no Espírito, devemos, agora, ser cheios do Espírito. Billy Graham é enfático sobre esse assunto: "Todos os cristãos devem ser cheios do

Espírito. Qualquer coisa menos que isso é só parte do plano de Deus para nossa vida":[250]

Duas ordens: uma negativa e outra positiva

A questão levantada pelo apóstolo Paulo é: embriaguez ou enchimento do Espírito? Concordo com William MacDonald quando diz que as Escrituras não condenam o uso do vinho, mas condenam seu abuso. O uso do vinho como medicinal é recomendado (Pv 31:6; 1Tm 5:23). Jesus transformou água em vinho para ser consumido numa festa de casamento (Jo 2:1-11). Mas o uso do vinho se torna abuso sob certas circunstâncias: 1) o uso do vinho torna-se abuso quando descamba para o excesso (Pv 23:29-35); 2) o uso do vinho torna-se abuso quando o indivíduo passa a ser dominado por ele (1Co 6:12b); 3) o uso do vinho torna-se abuso quando essa prática ofende a consciência fraca de outro crente (Rm 14:13; 1Co 8:9); 4) o uso do vinho torna-se abuso quando fere o testemunho cristão na comunidade e, portanto, não glorifica a Deus (1Co 10:31); e 5) o uso do vinho torna-se abuso quando há alguma dúvida na mente do cristão sobre essa prática (Rm 14:23):[251]

O apóstolo começa fazendo determinada comparação entre a embriaguez e a plenitude do Espírito.

Vejamos, em primeiro lugar, a *semelhança superficial*. Quando uma pessoa está bêbada, dizemos que está sob a influência do álcool; e, com certeza, um cristão cheio do Espírito está sob a influência e o poder do Espírito Santo:[252] Em ambas as proposições, há uma mudança de comportamento: a personalidade da pessoa muda quando ela está bêbada. Ela se desinibe; não se importa com o que os outros pensam dela. Abandona-se aos efeitos da

EFÉSIOS — Igreja, a noiva gloriosa de Cristo

bebida! O crente cheio do Espírito entrega-se ao controle do Espírito, e sua vida fica livre e desinibida.

Vejamos, em segundo lugar, o *contraste profundo*. Na embriaguez, o homem perde o controle de si mesmo; no enchimento do Espírito, ele ganha o controle de si, pois o domínio próprio é fruto do Espírito:[253] Martyn Lloyd--Jones, médico e pastor, disse: "O vinho e o álcool, farmacologicamente falando, não são estimulantes, mas depressivos. O álcool sempre está classificado na farmacologia entre os depressivos. O álcool é um ladrão de cérebros. A embriaguez, deprimindo o cérebro, tira do homem o autocontrole, a sabedoria, o entendimento, o julgamento, o equilíbrio e o poder para avaliar as coisas. Ou seja, a embriaguez impede o homem de agir de maneira sensata. O que o Espírito Santo faz é exatamente o oposto. Ele não pode ser posto num manual de farmacologia, mas ele é estimulante, antidepressivo. Ele estimula a mente, o coração e a vontade".

Vejamos, em terceiro lugar, o *resultado oposto*. O resultado da embriaguez é a dissolução (*asotia*). As pessoas que estão bêbadas entregam-se a ações desenfreadas, dissolutas e descontroladas. Perdem o pudor e a vergonha, conspurcam a vida e envergonham o lar. Trazem desgraças, lágrimas, pobreza, separação e opróbrio à família. Buscam uma fuga para seus problemas no fundo de uma garrafa, mas o que encontram é apenas um substituto barato, falso, maldito e artificial para a verdadeira alegria. A embriaguez leva à ruína. A palavra grega *asotia* envolve não apenas a ação descontrolada do homem bêbado, mas também a ideia de desperdício:[254] Ebehard Hahn diz ainda que *asotia*, "dissolução", é a fruição desmedida, caracterizando, aqui, o modo de vida de Sodoma e Gomorra (2Pe 2:7). Concretamente, a expressão pode referir-se ao desregramento sexual (13:13):[255]

Todavia, o resultado da plenitude do Espírito é totalmente diferente. Em vez de nos aviltar e embrutecer, o Espírito nos enobrece, enleva e eleva. Torna-nos mais humanos, mais parecidos com Jesus. O apóstolo, agora, lista os quatro benefícios de se estar cheio do Espírito Santo.

Os benefícios do enchimento do Espírito Santo

O apóstolo Paulo fala sobre quatro benefícios da plenitude do Espírito:

O primeiro resultado é *comunhão* (5:19a). Paulo diz: "Falando *entre vós* com salmos". Esse texto nos fala de comunhão cristã. O crente cheio do Espírito não vive resmungando, reclamando da sorte, criando intrigas, cheio de amargura, inveja e ressentimento; sua comunicação é só de enlevo espiritual para a vida do irmão. John Stott diz que o contexto é o culto público. Alguns dos salmos que cantamos são, na realidade, não a adoração a Deus, mas, sim, a exortação mútua. Um bom exemplo é Salmo 95:1: "Vinde, cantemos ao Senhor com alegria, cantemos com júbilo à rocha da nossa salvação". Essa é a comunhão na adoração, um convite recíproco ao louvor:[256]

O enchimento do Espírito é remédio de Deus para toda sorte de divisão na igreja. A falta de comunhão na igreja é carnalidade e infantilidade espiritual (1Co 3:1-3). No culto público, o crente cheio do Espírito Santo edifica o irmão, sendo bênção em sua vida.

O segundo resultado é *adoração* (5:19b). Diz Paulo: "Cantando [...] hinos e cânticos espirituais, cantando e louvando *ao Senhor* no coração" (grifo do autor). Aqui, o cântico não é *entre vós*, mas, sim, *ao Senhor*. Não é adoração fria, formal e sem entusiasmo. O crente cheio do Espírito adora a Deus com entusiasmo e profusa alegria. Ele usa toda sua mente, emoção e vontade para adorar a Deus. Um culto vivo não é carnal nem morto. Não podemos confundir entusiasmo com barulho carnal nem com emocionalismo. O culto verdadeiro é em espírito e em verdade. É um culto cristocêntrico, alegre, reverente e vivo. John Stott com razão diz que, sem dúvida, os cristãos cheios do Espírito têm um cântico de alegria no coração, e o culto público cheio do Espírito é uma celebração jubilosa dos atos poderosos de Deus:[257]

O terceiro resultado é *gratidão* (5:20). Paulo prossegue: "E sempre dando graças por tudo a Deus, o Pai, em nome de nosso Senhor Jesus Cristo". O crente cheio do Espírito não está cheio de queixas e murmuração, mas de gratidão. Embora o texto diga que devemos sempre dar graças *por tudo,* é necessário interpretar corretamente esse versículo. Não podemos dar graças por *tudo,* como pelo mal moral. Uma noção estranha está conquistando popularidade em alguns círculos cristãos: a noção de que o grande segredo da liberdade e da vitória cristãs é o louvor incondicional — o marido deve louvar a Deus pelo adultério da esposa; a esposa deve louvar a Deus pela embriaguez do marido; os pais devem louvar a Deus pelo filho que foi para as drogas e pela filha que se perdeu. Stott tem razão quando diz que o "tudo" pelo qual devemos dar graças a Deus deve ser qualificado pelo seu contexto, a saber, "a Deus, o Pai, em nome de nosso Senhor Jesus Cristo". Nossas ações de graças devem ser por tudo que é consistente com a amorosa paternidade de Deus e com a revelação de si mesmo que nos concedeu em Jesus Cristo:[258]

Dar graças pelo mal moral é insensatez e blasfêmia. Naturalmente, os filhos de Deus aprendem a não discutir com o Senhor nos momentos de sofrimento, mas, sim, a confiar nele e, na verdade, dar-lhe graças por sua amorosa providência mediante a qual ele pode fazer até mesmo o mal servir aos seus bons propósitos (Gn 50:20; Rm 8:28).

Mas isso é louvar a Deus por ser Deus, e não o louvar pelo mal. Fazer isso seria reagir de modo insensível à dor das pessoas (ao passo que a Bíblia nos manda chorar com os que choram). Fazer isso seria desculpar e até encorajar o mal (ao passo que a Bíblia nos manda odiá-lo e resistir ao Diabo). O mal é uma abominação para o Senhor, e não podemos louvá-lo nem dar-lhe graças por aquilo que ele abomina.

O quarto resultado é *submissão* (5:21). Por fim, o apóstolo Paulo diz: "Sujeitando-vos uns aos outros no temor de Cristo". Uma pessoa cheia do Espírito não pode ser altiva, arrogante nem soberba. Os que são cheios do Espírito Santo têm o caráter de Cristo, são mansos e humildes de coração. Em Cristo, devemos ser submissos uns aos outros. Francis Foulkes diz que o entusiasmo que o Espírito Santo inspira não deve ser expresso individualmente, mas em comunhão. Paulo viu os perigos do individualismo na comunidade cristã (1Co 14:26-33) e censurou esse erro (Fp 2:1; 4:2). Paulo sabia que o segredo de manter a comunhão de gozo na comunidade era a ordem e a disciplina que vêm da submissão espontânea de uns aos outros:[259] O versículo 21 é um versículo de transição e forma a ponte entre as duas seções desse capítulo. Não devemos pensar que a submissão que Paulo recomenda às esposas, às crianças e aos servos seja outra palavra para inferioridade. Igualdade de valor não é identidade de papel.

Duas perguntas devem ser feitas: de onde vem a autoridade e como essa autoridade deve ser exercida?

A autoridade vem de Deus. Por trás do marido, do pai, do patrão, devemos discernir o próprio Senhor que lhes deu a autoridade que têm. Portanto, se quiserem se submeter a Cristo, submetam-se a eles. Mas a autoridade dos maridos, pais e patrões não é ilimitada, nem as esposas, filhos e empregados devem prestar obediência incondicional. A autoridade só é legítima quando exercida debaixo da autoridade de Deus e em conformidade com ela. Devemos obedecer à autoridade humana até o ponto em que não sejamos levados a desobedecer à autoridade de Deus. Se a obediência à autoridade humana envolve a desobediência a Deus, nesse ponto, a desobediência civil passa a ser nosso dever cristão: "É mais importante obedecer a Deus que aos homens" (At 5:29).

A autoridade nunca deve ser exercida de modo egoísta, mas, sim, sempre em prol dos outros para cujo benefício foi outorgada. Quando Paulo descreve os deveres dos maridos, dos pais e dos senhores, em nenhum caso ele está mandando exercer autoridade. Ao contrário, explícita ou implicitamente, adverte-os contra o uso impróprio da autoridade, proíbe-os de explorar sua posição e, em vez disso, conclama-os a lembrar de suas responsabilidades e dos direitos da outra parte. Assim, os maridos devem amar, os pais não devem provocar ira nos filhos, e os patrões devem tratar seus empregados com justiça.

Um marido cheio do Espírito Santo ama a esposa como Cristo ama a igreja. Uma esposa cheia do Espírito submete-se ao marido como a igreja a Cristo. Pais cheios do Espírito criam os filhos na admoestação do Senhor. Filhos cheios do Espírito obedecem seus pais. Patrões cheios do Espírito tratam seus empregados com dignidade. Empregados cheios do Espírito trabalham com empenho em favor de seu patrão.

Os imperativos do enchimento do Espírito Santo

A forma exata do verbo *plerouste* é sugestiva e, isso, por várias razões:[260]

Em primeiro lugar, o verbo está no *modo imperativo*. "Enchei-vos" não é uma proposta alternativa, uma opção, mas um mandamento de Deus. Ser cheio do Espírito é obrigatório, não opcional. Não ser cheio do Espírito Santo é pecado. Certa feita, um diácono da Igreja Batista do Sul, dos Estados Unidos, procurou Billy Graham para falar-lhe acerca da necessidade de disciplinar um diácono por causa de embriaguez. O evangelista veterano perguntou se algum diácono daquela igreja já havia sido disciplinado por não ser cheio do Espírito Santo. Temos a tendência de ver a transgressão apenas na embriaguez, e não na falta da plenitude do Espírito. A ordem para ser cheio do Espírito é válida para todos os cristãos em qualquer época e em qualquer lugar. Não há exceções. A conclusão lógica é que, se recebemos a ordem de ser cheios do Espírito, estamos pecando se não formos. E o fato de não estarmos cheios dele é um dos maiores pecados contra o Espírito Santo:[261] Uma das orações do grande reavivamento do País de Gales foi esta:

Enche-me, Espírito,

Mais que cheio quero estar;

Eu, o menor dos teus vasos,

Posso muito transbordar:[262]

EFÉSIOS — Igreja, a noiva gloriosa de Cristo

A. W. Tozer é enfático quando diz que todo cristão pode receber um derramamento abundante do Espírito Santo em uma porção muito além da recebida na conversão:[263] Conforme já comentamos, Dwigt L. Moody experimentou esse derramamento do Espírito Santo quando andava, certa feita, pela Wall Street, em Nova Iorque. A partir daquele dia, seus sermões eram os mesmos em conteúdo, mas não em resultado. Quando ele pregava, os corações se derretiam. Ele chegou a dizer que não trocaria essa experiência bendita nem mesmo por todo o ouro do mundo.

David Brainerd, missionário entre os índios peles-vermelhas que experimentou poderoso avivamento no meio da selva e viu centenas de índios antropófagos sendo salvos, escreve em seu diário: "Oh! Uma hora com Deus ultrapassa infinitamente todos os prazeres e deleites deste mundo terreno":[264] No dia 8 de agosto de 1745, o próprio Brainerd relata a manifestação poderosa do Espírito, enquanto pregava aos índios:

> Enquanto eu discursava publicamente, o poder de Deus pareceu descer sobre a assembleia como um vento impetuoso, o qual, com espantosa energia, derrubava a todos à sua frente. Fiquei admirado diante da influência espiritual que toma conta quase que totalmente da audiência, não podendo compará-la com outra coisa senão com a força irresistível de uma poderosa torrente de uma inundação crescente, que, com seu insuportável peso e pressão, leva de roldão a tudo e a qualquer coisa em seu caminho. Quase todas as pessoas, sem importar a idade, foram envolvidas, inclinando-se sob a força da convicção, e quase ninguém foi capaz de resistir ao choque daquela surpreendente operação divina. Homens e mulheres idosos, que tinham sido viciados em álcool por muitos anos, e até algumas crianças pequenas, de não mais de seis ou sete anos, pareciam estar aflitos devido ao estado de suas almas, genuinamente sensibilizadas para com o perigo

que corriam, com a maldade de seus corações, com a sua miséria por estarem privados de Cristo:[265]

Em segundo lugar, o verbo está na *forma plural*. Essa ordem é endereçada à totalidade da comunidade cristã. Ninguém dentre nós deve ficar bêbado; todos nós, porém, devemos encher-nos do Espírito Santo. A plenitude do Espírito Santo não é um privilégio elitista, mas, sim, uma possibilidade para todo o povo de Deus. Curtis Vaughan diz que a experiência da plenitude do Espírito Santo não deve ser encarada como excepcional nem como prerrogativa de alguns poucos privilegiados:[266] Nas palavras do profeta Joel, a promessa do derramamento do Espírito rompe as barreiras social, etária e sexual (Jl 2:28,29).

Em terceiro lugar, o verbo está na *voz passiva*. O sentido é: "Deixai o Espírito encher-vos". Essa expressão pode ser parafraseada assim: deixem que o Santo que os selou e os santificou envolva-os e possua-os de tal forma que vocês sejam como vasos imergidos em sua corrente pura; e, depois, entregando o coração sem reservas a ele, vocês sejam vasos imersos, mas abertos; "nele" e "cheios" nele, quando ele recebe continuamente, ocupa continuamente e consagra todas as partes da natureza de vocês, todos os departamentos da vida de vocês:[267] Ninguém pode encher a si mesmo do Espírito. Nenhum homem pode soprar sobre o outro para que ele receba a plenitude do Espírito. O sentido não é o quanto mais do Espírito nós temos, mas o quanto mais o Espírito tem de nós. O quanto ele controla a nossa vida. Ser cheio do Espírito é não o entristecer, nem apagá-lo, mas submeter-se à sua autoridade, influência e poder.

Em quarto lugar, o verbo está no *tempo presente contínuo*. No grego há dois tipos de imperativo: 1) aoristo — que descreve uma ação única. Exemplo: em João 2:7, Jesus disse "Enchei de água as talhas". O imperativo é aoristo, visto que as talhas deviam ser enchidas uma só vez; 2) presente contínuo — descreve uma ação contínua. Exemplo: em Efésios 5:18, quando Paulo nos diz "Enchei-vos do Espírito", é imperativo presente, o que subentende que devemos continuar a nos encher.

A plenitude do Espírito não é uma experiência de uma vez para sempre que nunca podemos perder, mas, sim, um privilégio que deve ser continuamente renovado pela submissão à vontade de Deus. Fomos selados de uma vez por todas, mas temos a necessidade diária de enchimento.

NOTAS DO CAPÍTULO 10

[250] GRAHAM, Billy. *O Espírito Santo*. São Paulo: Vida Nova, 1980, p. 94.

[251] MACDONALD, William. *Believer's Bible Commentary*. Nashville, TN: Thomas Nelson Publishers, 1995, p. 1944.

[252] STOTT, John. *A mensagem de Efésios*, p. 152.

[253] STOTT, John. *A mensagem de Efésios*, p. 152.

[254] FOULKES, Francis. *Efésios: introdução e comentário*, p. 125.

[255] HAHN, Ebehard. *Carta aos Efésios*, p. 94.

[256] STOTT, John. *A mensagem de Efésios*, p. 154.

[257] STOTT, John. *A mensagem de Efésios*, p. 154.
[258] STOTT, John. *A mensagem de Efésios*, p. 154.
[259] FOULKES, Francis. *Efésios: introdução e comentário*, p.127.
[260] STOTT, John. *A mensagem de Efésios*, p. 156,157.
[261] GRAHAM, Billy. *O Espírito Santo*, p. 96.
[262] GRAHAM, Billy. *O Espírito Santo*, p. 97.
[263] TOZER, A. W. *A vida cheia do Espírito*, p. 38.
[264] EDWARDS, Jonathan. *A vida de David Brainerd*. São José dos Campos: Fiel, 1993, p. 24.
[265] EDWARDS, Jonathan. *A vida de David Brainerd*, p. 107,108.
[266] VAUGHAN, Curtis. *Efésios*, p. 130.
[267] TAYLOR, Hillard H. *A Epístola aos Efésios*, p. 179.

Capítulo 11

Como ter o céu em seu lar
(Ef 5:22-33)

William Hendriksen, escritor erudito, é absolutamente pertinente quando diz que nenhuma instituição sobre a face da terra é tão sagrada quanto a família. Nenhuma é tão básica. Conforme a atmosfera moral e religiosa na família, assim será na igreja, na nação e na sociedade em geral:[268]

John Mackay diz com razão que a vida no lar, como instituição primária e básica da sociedade, exige tratamento especial. O lar, por sua própria natureza, deveria ser a morada do amor. Entretanto, a realidade, mui frequentemente, é bem outra. Um dos problemas do lar é o autoritarismo; o outro é o hedonismo. O autorismo busca governar pela força.

O resultado é uma casa de bonecos ou uma casa de loucos. O autoritarismo produz o silêncio sepulcral e uma ordem imposta pelo medo ou uma caótica desordem causada pelo desespero. O hedonismo, por sua vez, é o culto exclusivista e egoístico da felicidade própria:[269] No primeiro século, quando Paulo escreveu essa missiva, tanto o autoritarismo quanto o hedonismo estavam presentes na família.

Um dos maiores problemas da civilização antiga era o pouco valor dado às mulheres. Elas não eram vistas como pessoas, mas como propriedade do pai quando solteiras e do marido depois de casadas.

Esse triste fato estava presente na *cultura judaica*. Os judeus tinham um baixo conceito das mulheres. Os judeus, pela manhã, agradeciam a Deus por ele não lhes ter feito "um pagão, um escravo ou uma mulher". As mulheres não tinham direitos legais. Elas eram propriedade do pai, quando solteiras, e do marido, quando casadas.

Um outro fato presente na cultura judaica era o divórcio. Na época em que a igreja cristã nasceu, o divórcio era tragicamente fácil. Um homem podia divorciar-se de sua mulher por qualquer motivo, pelo simples fato de a mulher ter posto muito sal em sua comida ou por ela sair em público sem véu. A mulher não tinha nenhum direito ao divórcio, mesmo que seu marido se tornasse um leproso, um apóstata ou se envolvesse em coisas sujas. "O marido podia divorciar-se por qualquer motivo, enquanto a mulher não podia divorciar-se por nenhum motivo." Quando nasceu a igreja cristã, o laço matrimonial estava em perigo no judaísmo:[270]

A mulher também era desvalorizada na *cultura grega*. A situação era pior no mundo helênico. A prostituição era parte essencial da vida grega. Demóstenes disse: "Temos prostitutas para o prazer; concubinas para o sexo diário e esposas com o propósito de ter filhos legítimos". Xenofonte disse: "A finalidade das mulheres é ver pouco, escutar pouco e perguntar o mínimo possível". Os homens gregos esperavam que a mulher cuidasse da casa e dos filhos, enquanto eles buscavam prazer fora do casamento. Na Grécia, não havia processo para divórcio. Era matéria simplesmente de capricho. Na Grécia, o lar e a vida familiar estavam próximos da extinção, e a fidelidade conjugal era absolutamente inexistente:[271]

O preconceito contra a mulher estava presente também na *cultura romana*. Nos dias de Paulo, a situação em Roma era ainda pior. A degeneração de Roma era trágica. A vida familiar estava entrando em colapso. Sêneca disse: "As mulheres se casavam para divorciar e se divorciavam para casar". Os romanos ordinariamente não datavam os anos com números, mas com os nomes dos cônsules. Sêneca disse: "As mulheres datavam seus anos com os nomes de seus maridos". O poeta romano Marcial nos fala de uma mulher que teve dez maridos. Juvenal fala de uma que teve oito maridos em cinco anos. Jerônimo afirma que em Roma vivia uma mulher casada com seu 23º marido:[272] A fidelidade conjugal em Roma estava quase em total bancarrota.

Paulo escreve Efésios 5:22-33 nesse contexto de falência da virtude e de desastre da família. Ele aponta para algo totalmente novo e revolucionário naqueles dias.

Na *cultura pós-moderna,* o conceito de família está confuso. Há confusão de papéis no casamento. A família não pode ser acéfala nem bicéfala. Deus pôs o homem como cabeça da esposa e líder do lar. William Hendriksen está correto quando diz que um lar sem cabeça é um convite ao caos:[273] O novo Código Civil Brasileiro parece não reconhecer a diferença de papéis. Reconhece-se a legitimidade de relações que a Bíblia chama de adultério. As relações homossexuais estão se tornando cada vez mais aceitáveis. A infidelidade conjugal atinge mais de 50% dos casais. O índice de divórcio aumenta assustadoramente, mesmo na terceira idade. A cultura pós-moderna está voltando às mesmas práticas reprováveis dos tempos primitivos.

O papel da esposa (5:22-24)

Falando sobre o papel da esposa, Paulo escreve:

> Mulheres, cada uma de vós seja submissa ao marido, assim como ao Senhor; pois o marido é o cabeça da mulher, assim como Cristo é o cabeça da igreja, sendo ele mesmo o Salvador do corpo. Mas, assim como a igreja está sujeita a Cristo, também as mulheres sejam em tudo submissas ao marido (5:22-24).

É relevante o fato de, nessa seção, os maridos e as esposas serem lembrados de seus deveres e não de seus direitos:[274] O apóstolo Paulo, inspirado pelo Espírito Santo, ordena que as mulheres sejam submissas ao marido. Mas o que é submissão? Essa palavra está profundamente desgastada em nossos dias. John Mackay diz corretamente que uma das maiores artimanhas do Diabo é esvaziar o sentido das grandes palavras cristãs. Antes de prosseguirmos, portanto, precisamos entender com clareza o que não é submissão.

Em primeiro lugar, *submissão não é inferioridade*. Devemos desinfetar a palavra "submissão" de seus sentidos adulterados. A mulher não é inferior ao homem. Ela foi tão feita à imagem de Deus quanto o homem. Ela foi tirada da costela do homem e não dos pés. Ela é auxiliadora idônea (aquela que olha nos olhos) e não uma escrava. Aos olhos de Deus, ela é coigual com o homem (Gl 3:28; 1Pe 3:7).

Concordo com John Stott quando diz que não devemos pensar que a submissão que Paulo recomenda às esposas, às crianças e aos servos seja outra palavra para inferioridade:[275] De igual forma, não devemos aceitar a ideia de uma obediência cega e servil. Submissão é pôr-se debaixo da missão de outra pessoa. A missão do marido é glorificar a Deus, amando a esposa como Cristo amou a igreja e a si mesmo se entregou por ela, e a missão da esposa é sustentar seu marido nessa missão. Russell Shedd entende que submissão traz a ideia de apoiar e encorajar:[276]

Em segundo lugar, *submissão não é obediência incondicional.* A submissão da esposa a Jesus é uma submissão absolutamente exclusiva. Todos nós somos servos de Cristo. Nunca se afirma, porém, que a esposa deva ser escrava ou serva do marido. Nossa relação com Jesus é uma relação de submissão completa, inteira e absoluta. Não é essa a exortação dirigida às esposas. Se a submissão da esposa ao marido implicar sua insubmissão a Cristo, ela precisa desobedecer ao marido, para obedecer a Cristo. A autoridade do marido, dos pais e dos patrões não é ilimitada, nem a submissão das esposas, dos filhos e dos empregados é incondicional. O princípio é claro: devemos nos submeter até o ponto em que a obediência à autoridade do homem não envolva a desobediência a Deus; nesse ponto, a "desobediência civil" passa a ser nosso dever cristão:[277]

Agora, vejamos o que representa submissão:

Em primeiro lugar, devemos entender que a mulher deve ser submissa ao marido *por causa de Cristo* (5:22). "Mulheres, cada um de vós seja submissa ao marido, assim como ao Senhor." A submissão da esposa ao marido não é igual à submissão a Cristo, mas por causa de Cristo. A submissão da esposa ao marido é uma expressão da submissão da esposa a Cristo. A esposa submete-se ao marido por amor e obediência a Cristo:[278] A esposa submete-se ao marido para a glória de Deus (1Co 10:31). A esposa submete-se ao marido para que a Palavra de Deus não seja blasfemada (Tt 2:3-5).

John Stott está certo ao dizer que as mulheres, por trás do marido, do pai e do Senhor devem discernir o próprio Senhor, que lhes deu a autoridade que têm. Assim, se elas quiserem submeter-se a Cristo, submeter-se-ão a eles, visto que é a autoridade de Cristo que exercem:[279]

Concordo com Francis Foulkes quando diz que o casamento ilustra a relação da igreja com Cristo de modo mais adequado do que a ilustração da relação do templo com a pedra angular ou até mesmo que a relação do corpo com seu Cabeça. Saímos, aqui, de ilustrações inanimadas ou do campo biológico para uma ilustração tirada da área mais profundamente pessoal:[280]

Em segundo lugar, devemos observar que *a submissão da esposa ao marido é sua liberdade* (5:23). "Pois o marido é o cabeça da mulher, assim como Cristo é o Cabeça da igreja, sendo ele mesmo o Salvador do corpo." A submissão não é escravidão, mas liberdade. A verdade liberta. Só sou livre quando obedeço às leis do meu país. Um trem só é livre quando corre em cima dos trilhos. John Stott está correto quando diz o ensino bíblico é que Deus deu ao homem uma certa liderança, e que sua esposa encontra a si mesma e seu verdadeiro papel dado por Deus não na rebelião contra o marido nem contra a liderança dele, mas, sim, na submissão voluntária e alegre:[281]

Em terceiro lugar, à luz do ensino de Paulo, *a submissão da esposa ao marido é sua glória* (5:24). "Mas, assim como a igreja está sujeita a Cristo, também as mulheres sejam em tudo submissas ao marido." Assim como a glória da igreja é ser submissa a Cristo, também a glória da esposa é ser submissa ao marido. A submissão da igreja a Cristo é voluntária, devotada, sincera e entusiástica. É uma submissão motivada pelo amor:[282] A igreja só é bela quando se submete a Cristo. A submissão da igreja a Cristo não a desonra nem a desvaloriza. A igreja só é feliz quando se submete a Cristo. Quando a igreja deixa de se submeter a Cristo, ela perde sua identidade, seu nome, sua reputação e seu poder. A submissão não é a um senhor autoritário, autocrático, déspota e insensível, mas a alguém que a ama a ponto de dar sua vida por ela.

A submissão da esposa não é a um tirano, mas a um marido que a ama como Cristo ama a igreja. O cabeça do corpo é o salvador do corpo; a característica de sua condição de cabeça não é tanto a de Senhor, mas, sobretudo, a de Salvador.

Em quarto lugar, *a submissão da esposa ao marido é a sua missão* (5:22). A palavra "submissão" indica que a missão da esposa é sustentar a missão do marido, e a missão do marido é amar a esposa a ponto de morrer por ela. A mulher submissa faz bem ao marido todos os dias de sua vida e pavimenta o caminho do amor do marido por ela.

O papel do marido (5:25-33)

Ao detalhar o papel do marido, Paulo escreve:

> Maridos, cada um de vós ame a sua mulher, assim como Cristo amou a igreja e a si mesmo se entregou por ela, a fim de santificá-la, tendo-a purificado com o lavar da água, pela palavra, para apresentá-la a si mesmo como igreja gloriosa, sem mancha, nem ruga, nem qualquer coisa semelhante, mas santa e irrepreensível. Assim o marido deve amar sua mulher como ao próprio corpo. Quem ama sua mulher,

> ama a si mesmo. Pois ninguém jamais odiou o próprio corpo; antes, alimenta-o e dele cuida; e assim também Cristo em relação à igreja; porque somos membros do seu corpo. Por isso o homem deixará pai e mãe e se unirá a sua mulher, e os dois serão uma só carne. Esse mistério é grande, mas eu me refiro a Cristo e à igreja. Entretanto, também cada um de vós ame sua mulher como a si mesmo, e a mulher respeite o marido (5:25-33).

Se a palavra que caracteriza o dever da esposa é *submissão*, a palavra que caracteriza o dever do marido é *amor*:[283] O marido que deseja que a esposa lhe seja submissa como a igreja o é a Cristo deve amá-la como Cristo ama a igreja.

O amor do marido pela esposa deve ser perseverante, santificador, sacrificial, romântico, protetor e provedor. Ele deve amar a esposa não apenas como a si mesmo, mas mais do que a si mesmo. Cristo amou a igreja e a si mesmo se entregou por ela. Esse é o modelo prescrito por Deus para ser seguido pelo marido.

Assim, o marido nunca deve usar sua liderança para sufocar a esposa nem para impedi-la de se expressar. O conceito de autoridade nas Escrituras não tem que ver com poder, domínio e opressão. A liderança do marido não é uma permissão para agir com autoritarismo, mas uma oportunidade para servir com amor. A ênfase de Paulo não está na autoridade do marido, mas em seu amor (5:25,28,33). O que representa ser submisso? É entregar-se a alguém. O que representa amar? É entregar-se por alguém. Assim submissão e amor são dois aspectos da mesmíssima coisa:[284]

O apóstolo usa cinco verbos para definir a ação do marido: 1) amar — o amor de Cristo pela igreja foi proposital, sacrificial, santificador, altruísta, abnegado e perseverante; 2) entregar-se — o amor não é egoísta, mas devotado à pessoa amada; 3) santificar — o amor visa o bem da pessoa amada; 4) purificar — o amor busca a perfeição da pessoa amada; 5) apresentar — o amor visa a felicidade plena com a pessoa amada.

Como o marido deve cuidar da esposa?

Em primeiro lugar, *o marido deve cuidar da vida espiritual da esposa* (5:25-27). "Maridos, cada um de vós ame a sua mulher, assim como Cristo amou a igreja e a si mesmo se entregou por ela, a fim de santificá-la, tendo-a purificado com o lavar da água, pela palavra, para apresentá-la a si mesmo como igreja gloriosa, sem mancha, nem ruga, nem qualquer coisa semelhante, mas santa e irrepreensível." O marido é responsável pela vida espiritual da esposa e dos filhos. Ele é o sacerdote do lar. O marido precisa buscar a santificação da esposa. Deve ser a pessoa que mais exerça influência espiritual sobre ela.

Em segundo lugar, *o marido deve cuidar da vida emocional da esposa* (5:28,29). "Assim o marido deve amar sua mulher como ao próprio corpo. Quem ama sua mulher, ama a si mesmo. Pois ninguém jamais odiou o próprio corpo; antes, alimenta-o e dele cuida; e assim também Cristo em relação à igreja." Os maridos devem amar sua mulher como ao próprio corpo. O marido fere a si mesmo ferindo a esposa. Crisóstomo disse: "O olho não trai o pé colocando-o na boca da cobra". Paulo diz ainda que ninguém jamais odiou o próprio corpo; antes o alimenta e cuida dele. Mas como o marido cuida da esposa?

Ele não deve abusar dela. O homem pode abusar de seu corpo comendo e bebendo em excesso. O homem que faz isso é néscio, porque, ao maltratar seu corpo, ele mesmo sofre. O marido que maltrata a esposa é néscio:[285] Ele machuca a si mesmo ao ferir a esposa. Um marido pode abusar da esposa: sendo rude, não dedicando tempo, atenção e carinho a ela, ou usando palavras e gestos grosseiros para feri-la, ou sendo infiel a ela.

Ele não deve descuidar dela. Um homem pode descuidar de seu corpo. E se o faz, ele é néscio e sofre por isso. Se você estiver com a garganta inflamada, não pode cantar nem pregar. Todo seu trabalho é prejudicado. Você tem ideias e mensagens, mas não pode transmiti-las. O marido descuida da esposa com reuniões intérminas, com televisão, com internet, com roda de amigos:[286] Há viúvas de maridos vivos. Há maridos que querem viver a vida de solteiro. O lar é apenas um albergue.

O marido deve zelar pela esposa: alimentá-la e cuidar dela. Como o homem sustenta o corpo? Martyn Lloyd--Jones sugere as seguintes ações:[287] 1) a dieta — o homem deve pensar em sua dieta, em sua comida. Deve ingerir alimento suficiente e fazer isso com regularidade. Também o marido deveria pensar no que ajuda sua esposa; 2) prazer e deleite — quando ingerimos nosso alimento, não pensamos só em termos de calorias ou proteínas. Não somos puramente científicos. Pensamos também naquilo que nos dá prazer. Dessa maneira, o marido deve tratar a esposa. Ele deve pensar no que a agrada. O marido deve ser criativo no sentido de sempre agradar a esposa; 3) exercício — a analogia do corpo exige mais esse ponto. O exercício é fundamental para o corpo. O exercício é igualmente essencial para o casamento. É o diálogo harmonioso, a quebra da rotina desgastante; 4) carícias — a palavra *cuidar* só aparece aqui e em 1Tessalonicenses 2:7. A palavra *cuidar* quer dizer *acariciar*. O marido precisa ser sensível às necessidades emocionais e sexuais da esposa. O marido precisa aprender a ser romântico, cavalheiro, gentil e cheio de ternura.

Como ter o céu em seu lar

Em terceiro lugar, *o marido deve cuidar da vida física da esposa* (5:30). "Porque somos membros do seu corpo." O marido deixa todos os outros relacionamentos para concentrar-se na esposa, ou seja, deve amar a esposa com um amor que transcende todas as outras relações humanas. Ele deixa pai e mãe. Sua atenção volta-se para sua mulher. Seu propósito é agradá-la. Sua união com ela é monogâmica, monossomática e indissolúvel. Assim, marido e mulher tornam-se uma só carne. O sexo é bom e uma bênção divina na vida do casal. Deve ser desfrutado plenamente, em santidade e pureza. Primeira Coríntios 7:3-5 e Provérbios 5:15-19 mostram como deve ser abundante essa relação sexual.

Numa época como a nossa de falência da virtude, enfraquecimento da família e explosão de divórcio, essa ideia cristã do casamento deve ser difundida com mais frequência entre o povo. Curtis Vaughan conclui dizendo que o dever da esposa é respeitar o marido, e o dever do marido é merecer o respeito dela (5:33):[288]

NOTAS DO CAPÍTULO 11

268 HENDRIKSEN, William. *Efésios*, p. 308.
269 MACKAY, John. *A ordem de Deus e a desordem do homem*, p. 144.
270 BARCLAY, William. *Galatas y Efesios*, p. 177.
271 BARCLAY, William. *Galatas y Efesios*, p. 178.
272 BARCLAY, William. *Galatas y Efesios*, p. 179.
273 HENDRIKSEN, William. *Efésios*, p. 308.
274 FOULKES, Francis. *Efésios: introdução e comentário*, p. 127.
275 STOTT, John. *A mensagem de Efésios*, p. 161.
276 SHEDD, Russell. *Tão grande salvação*, p. 74.
277 STOTT, John. *A mensagem de Efésios*, p. 163.
278 LLOYD-JONES, D. M. *La Vida en el Espiritu*. Grand Rapids, MI: TELL, 1983, p. 91.
279 STOTT, John. *A mensagem de Efésios*, p. 162.
280 FOULKES, Francis. *Efésios: introdução e comentário*, p. 128.
281 STOTT, John. *A mensagem de Efésios*, p. 165.
282 HENDRIKSEN, William. *Efésios*, p. 310.
283 STOTT, John. *A mensagem de Efésios*, p. 169.
284 STOTT, John. *A mensagem de Efésios*, p. 177.
285 LLOYD-JONES, D. M. *La Vida en el Espiritu*, p. 192,193.
286 LLOYD-JONES, D. M. *La Vida en el Espiritu*, p. 193.
287 LLOYD-JONES, D. M. *La Vida en el Espiritu*, p. 195-198.
288 VAUGHAN, Curtis. *Efésios*, p. 138.

Capítulo 12

Pais e filhos vivendo segundo a direção de Deus
(Ef 6:1-4)

DUAS PALAVRAS RESUMEM O DEVER dos filhos para com os pais: obediência e honra:[289] Quando Paulo escreveu essa carta aos efésios, estava em vigência no Império Romano o regime do *pater postestas*. O pai tinha direito absoluto sobre o filho: podia casá-lo, divorciá-lo, escravizá-lo, vendê-lo, rejeitá-lo, prendê-lo e até mesmo matá-lo:[290]

Hoje, vivemos o outro extremo. O ano de 1960 irrompeu com os *hippies*, um movimento de contracultura. Os jovens revoltaram-se contra a autoridade dos pais e rebelaram-se contra toda sorte de autoridade institucional. O apóstolo Paulo diz que a desobediência aos pais é um sinal evidente de decadência da sociedade (Rm 1:30; 2Tm 3:2).

Se nosso cristianismo não é capaz de mudar nosso relacionamento com a família, ele está falido. É impossível ser um jovem fiel, abençoado e cheio do Espírito sem obedecer aos pais. Certa feita, Mahatma Gandhi abordou um bêbado que entoava canções elogiando-o como o líder pacifista indiano. Ele repreendeu firmemente o bêbado com estas palavras: "Você é do tipo que entoa canções a mim mas não obedece meus ensinamentos".

Lloyd-Jones é de opinião que pais e filhos cristãos, famílias cristãs, têm uma oportunidade singular de testemunhar ao mundo pelo simples fato de ser diferentes. Podemos ser verdadeiros evangelistas mostrando essa disciplina, essa lei e ordem, essa relação correta entre pais e filhos. Podemos ser instrumentos nas mãos de Deus para que muitas pessoas cheguem ao conhecimento da verdade:[291]

O dever dos filhos com os pais (6:1-3)

O apóstolo menciona três motivos que devem levar os filhos a ser obedientes aos pais: a natureza, a lei e o evangelho:[292]

Em primeiro lugar, *a natureza* (6:1). "Filhos, sede obedientes a vossos pais no Senhor, pois isso é justo." A obediência dos filhos aos pais é uma lei da própria natureza; é o comportamento-padrão de toda a sociedade. Os moralistas pagãos, os filósofos estoicos, a cultura oriental (chineses, japoneses e coreanos), as grandes religiões, como confucionismo, budismo e islamismo, também defendem essa bandeira. Lloyd-Jones tem razão quando diz que é algo antinatural os filhos desobedecerem aos pais:[293] A desobediência aos pais é um sinal de decadência moral da sociedade e um sinal do fim dos tempos (Rm 1:28-30; 2Tm 3:1-3):[294]

Em segundo lugar, *a lei* (6:2,3). "Honra teu pai e tua mãe; este é o primeiro mandamento com promessa, para que vivas bem e tenhas vida longa sobre a terra." Honrar é mais do que obedecer (Ex 20:12; Dt 5:16). Os filhos não devem prestar só obediência aos pais, mas também devotar amor, respeito e cuidado a eles. É possível obedecer sem honrar. O irmão do filho pródigo obedecia ao pai, mas não o honrava. Há filhos que desamparam os pais na velhice. Há filhos que trazem flores para o funeral dos pais, mas jamais os presentearam com um botão de rosa enquanto estavam vivos.

Honrar pai e mãe é honrar a Deus (Lv 19:1-3). A desonra aos pais era um pecado punido com a morte (Lv 20:9; Dt 21:18-21). Resistir a autoridade dos pais é insurgir-se contra a autoridade do próprio Deus.

Honrar pai e mãe traz benefícios (6:2,3). A promessa consiste em prosperidade e longevidade. No Antigo Testamento, as bênçãos eram terrenas e temporais, como a posse da terra. No Novo Testamento, nós somos abençoados com toda sorte de bênçãos espirituais em Cristo (Ef 1:3). O filho obediente livra-se de grandes desgostos. Vejamos, por exemplo, algumas coisas que são importantes: 1) ouvir os pais — quantos desastres, casamentos errados, perdas, lágrimas e mortes seriam evitados se os filhos escutassem os pais; 2) ter cuidado com as seduções (Pv 1:10) — drogas, sexo, namoro, abandono da igreja e amigos.

Em terceiro lugar, *o evangelho* (6:1): "Filhos, sede obedientes a vossos pais *no Senhor*" (grifo do autor). Colossenses 3:20 fala que os filhos devem obedecer aos pais em tudo; já Efésios 6:1 equilibra a ordem dizendo que devem obedecer no Senhor. O que Paulo está ensinando? Os filhos devem obedecer aos pais porque eles são servos de Cristo.

Eles devem obedecer aos pais por causa do relacionamento que têm com Cristo.

Em Cristo, a família é resgatada à plenitude de seu propósito original. Nosso relacionamento familiar é restaurado porque estamos no Senhor. Porque estamos em Cristo, nossos relacionamentos são purificados do egocentrismo ruinoso. Os filhos aprendem a obedecer aos pais porque isso é agradável ao Senhor (Cl 3:20).

O dever dos pais com os filhos (6:4)

Paulo exorta os pais não a exercer sua autoridade, mas a contê-la:[295] Mediante o *Pátria potestas,* o pai podia não só castigar os filhos, mas também vendê-los, escravizá-los, abandoná-los e até mesmo matá-los. Sobretudo os fracos, doentes e aleijados tinham pouca chance de sobreviver.

Paulo ensina, entretanto, que o pai cristão deve imitar outro modelo. A paternidade é derivada de Deus (3:14,15; 4:6). Os pais devem cuidar dos filhos como Deus Pai cuida de sua família. Na verdade, é o Senhor quem cria os filhos por intermédio dos pais.

Paulo enfatiza é *uma exortação negativa*: "E vós, pais, não provoqueis a ira dos vossos filhos" (6:4a). A personalidade da criança é frágil, e os pais podem abusar de sua autoridade usando ironia e ridicularização. O excesso ou ausência de autoridade provoca ira nos filhos. O excesso ou ausência de autoridade leva os filhos ao desânimo. Cada criança é uma pessoa peculiar e precisa ser respeitada em sua individualidade.

Os pais podem provocar a ira dos filhos por excesso de proteção ou favoritismo. Quando Isaque revelou preferência por Esaú, e Rebeca predileção por Jacó, eles jogaram um filho contra o outro e trouxeram grandes tormentos sobre si mesmos.

Há pais que provocam a ira em seus filhos revelando contínuo descontentamento com o desempenho deles. Os filhos não conseguem agradar os pais em nada. Semelhantemente, os pais provocam ira nos filhos por não reconhecer as diferenças entre eles. Cada filho é um universo distinto.

Outra forma de provocar ira nos filhos é o silêncio gélido, a falta de diálogo. Esse foi o principal abismo que Davi cavou no relacionamento com seu filho Absalão. Os pais podem provocar ira nos filhos por meio de palavras ásperas ou de agressão física. Finalmente, os pais podem provocar ira nos filhos por falta de consistência na vida e na disciplina. Os pais devem ser espelho dos filhos, e não carrascos deles.

William Hendriksen, nessa mesma linha de pensamento, aborda seis atitudes dos pais que provocam ira nos filhos: 1) excesso de proteção; 2) favoritismo; 3) desestímulo; 4) não reconhecimento do fato de que o filho está crescendo e, portanto, tem o direito de ter suas próprias ideias e de que não precisa ser uma cópia exata do pai para ter êxito na vida; 5) negligência; e 6) palavras ásperas e crueldade física:[296]

Paulo ressalta *são as exortações positivas* (6:4). Paulo destaca quatro coisas:

Em primeiro lugar, *os pais devem cuidar da vida física e emocional dos filhos.* "Mas criai-os" (6:4b). A palavra grega *ektrepho*, "criar", quer dizer nutrir, alimentar:[297] É a mesma palavra que aparece em 5:29. Calvino traduziu essa expressão por "sejam acalentados com afeição". Hendriksen traduziu por "tratai deles com brandura". As crianças precisam de segurança, limites, amor e encorajamento. Os filhos não precisam só de roupas, remédios, teto e educação, mas também de afeto, amor e encorajamento.

Em segundo lugar, *os pais precisam treinar os filhos por meio da disciplina*. "[...] na disciplina" (6:4c). A palavra grega *paideia*, "disciplina", tem o sentido de treinamento por meio da disciplina. A disciplina se dá por meio de regras e normas, de recompensas e, se necessário, de castigo (Pv 13:24; 22:15; 23:13,14; 19:15):[298] Só pode disciplinar (fazer discípulo) quem tem domínio próprio. Que direito tem um pai de disciplinar o filho, se ele mesmo precisa ser disciplinado? Russell Shedd diz que a palavra *paideia*, em grego, representa o treinamento que produz uma reação automática no filho, de modo que, quando o pai chama, ele vem:[299]

Em terceiro lugar, *os pais precisam encorajar os filhos através da palavra*. "[...] e instrução" (6:4d). A palavra grega *nouthesia*, "admoestação", quer dizer educação verbal:[300] É educar eficazmente por meio da palavra falada, seja de ensino, seja de advertência, seja de estímulo:[301] Se houver apenas advertência, os filhos ficam desanimados; se houver apenas estímulo, eles ficam mimados. Esse equilíbrio entre advertência e estímulo é fundamental para a educação dos filhos. Russell Shedd diz que essa palavra *nouthesia* quer dizer que os filhos devem começar, desde pequeninos, a distinguir entre o que é certo e o que é errado. Devem ser instruídos acerca do que é certo e errado, segundo o que Deus fala em sua Palavra:[302]

Em quarto lugar, *os pais são responsáveis pela educação cristã dos filhos*. "[...] do Senhor" (6:4e). A expressão "do Senhor" revela que os responsáveis pela educação cristã dos filhos não são: o Estado, a escola nem mesmo a igreja, mas os próprios pais. Sob a economia divina, os filhos pertencem, antes e acima de tudo, aos pais:[303] Por detrás dos pais, está o Senhor. Ele é o Mestre e o administrador da disciplina. A preocupação básica dos pais não é apenas que seus filhos se submetam a eles, mas que cheguem a conhecer o Senhor a fim de obedecê-lo de todo o coração (Dt 6:4-8):[304]

Os pais devem se preocupar mais com a lealdade dos filhos a Cristo do que com qualquer outra coisa; mais até mesmo do que com a saúde, com o vigor e o brilho intelectual deles, com a prosperidade material, com a posição social ou com que não sofram grandes tristezas e infortúnios:[305]

Concordo com Wiliam Hendriksen quando diz que toda a atmosfera em que a educação é transmitida deve ser tal que o Senhor possa pôr sobre ela seu selo de aprovação, uma vez que o próprio cerne da educação cristã é este: conduzir o coração dos filhos ao coração do seu Salvador:[306]

NOTAS DO CAPÍTULO 12

[289] VAUGHAN, Curtis. *Efésios*, p. 138.
[290] BARCLAY, William. *Galatas y Efesios*, p. 184.
[291] LLOYD-JONES, D. M. *La Vida en el Espiritu*, p. 215.
[292] STOTT, John. *A mensagem de Efésios*, p. 179.
[293] LLOYD-JONES, D. M. *La Vida en el Espiritu*, p. 219.
[294] STOTT, John. *A mensagem de Efésios*, p. 179.
[295] STOTT, John. *A mensagem de Efésios*, p. 184.
[296] HENDRIKSEN, William. *Efésios*, p. 326.

Efésios — Igreja, a noiva gloriosa de Cristo

[297] STOTT, John. *A mensagem de Efésios*, p. 186.
[298] HENDRIKSEN, William. *Efésios*, p. 326.
[299] SHEDD, Russell. *Tão grande salvação*, p. 79.
[300] STOTT, John. *A mensagem de Efésios*, p. 187.
[301] HENDRIKSEN, William. *Efésios*, p. 327.
[302] SHEDD, Russell. *Tão grande salvação*, p. 80.
[303] HENDRIKSEN, William. *Efésios*, p. 327.
[304] STOTT, John. *A mensagem de Efésios*, p. 188.
[305] FOULKES, Francis. *Efésios: introdução e comentário*, p. 137.
[306] HENDRIKSEN, William. *Efésios*, p. 327.

Capítulo 13

Patrões e empregados
(Ef 6:5-9)

Os "SERVOS" DESSA PASSAGEM ERAM escravos e não servos no sentido moderno da palavra. A escravidão parece ter sido universal no mundo antigo. Uma alta porcentagem da população do Império Romano consistia em escravos.

Havia cerca de 60 milhões de escravos no Império Romano. Eles constituíam a força de trabalho e incluíam não somente os empregados domésticos e os trabalhadores manuais, mas também pessoas cultas, como médicos, professores e administradores:[307]

Curtis Vaughan, nessa mesma linha de pensamento, diz que entre os escravos existiam trabalhadores domésticos, funcionários, mestres, doutores e pessoas de muitas outras profissões. Os escravos não tinham direitos. Eram mera propriedade de seus senhores, existindo apenas para o conforto, conveniência e prazer de seus donos:[308] Os servos podiam ser herdados ou comprados. Os prisioneiros de guerra, em geral, tornavam-se escravos.

Duas coisas precisam ser destacadas:

Primeiro, *a impessoalidade dos escravos.* Legalmente, o escravo não era uma pessoa, mas uma coisa. Aristóteles dizia que não podia haver nenhuma amizade entre o senhor e o escravo, visto que um escravo é apenas uma ferramenta viva, assim como uma ferramenta é um escravo inanimado:[309] O escravo era uma espécie de propriedade que tinha alma:[310] Os escravos velhos e doentes eram abandonados sem alimento e entregues à morte. Eram como uma ferramenta imprestável:[311]

Segundo, *a desumanização dos escravos.* A legislação romana dizia que os escravos eram apenas bens móveis sem direitos, aos quais o senhor podia tratar, ao pé da letra, como quisesse. O *patria familia* dava direito ao senhor de castigar, confinar e matar seus escravos. Os escravos podiam ser torturados e mutilados; seus dentes podiam ser arrancados e seus olhos, vazados; alguns deles eram jogados às feras e até mesmo crucificados.

Como os apóstolos trataram a questão da escravidão? Os apóstolos não se consideravam reformadores sociais. Eram, antes de tudo, arautos das boas-novas da salvação em Cristo. Os apóstolos, porém, não fecharam os olhos à escravidão. Na verdade, anunciavam os verdadeiros princípios (como o da absoluta igualdade espiritual entre senhores e escravos) que acabaram destruindo essa terrível mancha da civilização. O procedimento dos apóstolos para com esse mal social foi semelhante ao do lenhador que tira a casca da árvore e a deixa morrer:[312]

O cristianismo provocou não uma revolução política, social e econômica, mas uma revolução moral e espiritual. Se o cristianismo tivesse se envolvido com causas políticas, antes que com espirituais, ele teria promovido um banho de sangue e destruído no nascedouro a religião cristã. Os textos de Efésios 6:5-9, Colossenses 3:22—4:1, Filemom 16 e Tiago 5:1-6 minam as bases da escravidão.

John Eadie esclarece esse ponto de forma magistral:

> O cristianismo não atacava diretamente as formas de vida social vigentes nem procurava promover uma revolução, aliás justificável, por meio de processos externos. Tal empreendimento teria sufocado com sangue a religião nascente. O evangelho realizou obra mais nobre. Não permaneceu indiferente recusando-se a falar ao escravo até que tivesse conquistado a liberdade e lhe caíssem as algemas [...], mas desceu ao nível da sua degradação, tomou-o pela mão, pronunciando-lhe aos ouvidos palavras de bondade, e deu-lhe uma liberdade que os grilhões não puderam impedir nem a tirania pôde esmagar pela força:[313]

O cristianismo triunfou sobre a escravidão. Foi a religião cristã que apagou essa mancha da civilização. Os reformadores trataram da questão do mistério do pobre e do ministério do rico. A pregação dos avivalistas John Wesley e George Whitefield pavimentaram o caminho da abolição da escravatura na Inglaterra. Wilberforce, mais tarde, acabou com a escravidão na Inglaterra. A Guerra Civil dos Estados Unidos acabou com a escravidão, com a vitória dos estados do norte sobre os estados do sul. No Brasil, a escravidão foi vencida em 1888. Em nenhum país cristão a escravidão pode prevalecer.

Em Efésios 6:5-9, Paulo mostra três aspectos de um relacionamento transformado que liquidou com a escravidão: 1) igualdade (6:9) — diante de Deus, os senhores e os escravos eram iguais; 2) justiça (6:9) — "fazei o mesmo para com eles" (Cl 3:22—4:1); 3) fraternidade (Fm 16) — "não mais como escravo; aliás, melhor do que escravo, como irmão amado". Assim, a escravidão foi abolida de dentro para fora.

O dever dos empregados em relação aos seus patrões (6:5-8)

Como se deve exercer a obediência? Paulo fala sobre vários aspectos dessa obediência:

Em primeiro lugar, *os empregados devem ser respeitosos* (6:5). "Vós, escravos, obedecei a vossos senhores deste mundo, com temor e tremor, com sinceridade de coração, assim como a Cristo." Obedecer com tremor e temor não quer dizer terror servil, mas, antes, o espírito de solicitude de quem possui o verdadeiro sentido de responsabilidade. É o cuidado de não deixar nenhum dever sem ser cumprido. Paulo não aconselha os escravos se rebelar, mas a ser cristãos na condição em que estão. O cristianismo não é um escape das circunstâncias, mas a transformação delas.

Em segundo lugar, *os empregados devem ser íntegros* (6:5b). "Com sinceridade de coração", refere-se a fazer o trabalho com realismo, sem duplicidade e sem fingimento:[314] É agir com integridade e sinceridade, sem hipocrisia nem segundas intenções. Fazer um bom trabalho é a vontade de Deus. Não existe dicotomia entre o secular e o sagrado. Quando você é um bom funcionário, isso redunda em glória para o nome de Cristo. Essa é uma liturgia que agrada a Deus. O empregado precisa ser honesto. Ele precisa honrar sua empresa.

Em terceiro lugar, *os empregados devem ser coerentes espiritualmente*. "Como a Cristo" (6:5c). Como ao Senhor quer dizer que o empregado deve encarar a obediência ao seu senhor terreno como uma espécie de serviço prestado ao próprio Senhor Jesus. Essa é a essência da submissão da esposa ao marido, dos filhos aos pais e dos empregados aos patrões. Eles devem obedecer porque são servos de Cristo. Eles devem ser leais aos patrões por causa do compromisso que têm com o senhorio de Cristo.

Um empregado crente, mas infiel, que faz corpo mole, que trai seu patrão, sua empresa, que não dá o melhor de si, está traindo o próprio Senhor Jesus. A convicção do trabalhador crente é que cada trabalho que realiza deve ser suficientemente bom como se fosse apresentá-lo ao Senhor. É uma liturgia ao Senhor. O crente deve trafegar da empresa para o templo com a mesma devoção. A questão do trabalho e da relação patrão-empregado, mais do que um problema econômico e social, é uma questão espiritual.

Em quarto lugar, *os empregados não precisam ser vigiados, pois eles têm respeito próprio*. "Não servindo só quando observados, como para agradar os homens, mas como servos de Cristo, fazendo de coração a vontade de Deus" (6:6). Paulo combate aqui o pecado da preguiça. Eles não precisam ser vigiados para fazer seu melhor. O propósito deles não é bajular o patrão. Eles têm dignidade e respeito próprio. O empregado honesto não trabalha apenas quando o patrão está olhando. Eles sabem que Jesus está olhando e é a Jesus que querem agradar. Eles não se satisfazem com trabalho malfeito.

Em quinto lugar, *os empregados servem aos seus patrões de boa vontade, como se estivessem servindo a Cristo*. "Servindo de boa vontade como se servissem ao Senhor e não aos homens" (6:7). Paulo combate aqui o pecado da desonestidade. O empregado crente considera-se escravo de Cristo e, por isso, tudo o que faz, o faz com toda sua alma e com alegria. Seu coração e alma estão em seu serviço. Ele sabe que o Senhor também é seu juiz.

Finalmente, Paulo fala sobre *um incentivo à obediência* (6:8). "Sabendo que cada um, se fizer alguma coisa boa, receberá isso outra vez do Senhor, seja servo, seja livre." A expressão "sabendo que" tem força causal e estimula a realização do desempenho fiel do escravo. Todo o bem que você fizer voltará a você (6:8). Deus é o galardoador. Também todo o mal que você fizer voltará a você (Cl 3:25). Você colhe o que semeia (Gl 6:7). Devemos, em última instância, servir a Cristo, e não aos homens. Receberemos nossa recompensa de Cristo, não dos homens.

O dever dos patrões em relação aos empregados (6:9)

As obrigações não estão apenas do lado dos escravos e dos empregados. Os senhores e patrões também têm deveres. Isso era absolutamente revolucionário nos dias de Paulo. O versículo 9 contém três coisas: um princípio, uma proibição e um estímulo:[315]

Em primeiro lugar, *o princípio da igualdade diante de Deus* (6:9a). "E vós, senhores, fazei o mesmo para com eles." Se você, patrão, espera receber respeito, demonstre respeito; se espera receber serviço, preste serviço. É uma aplicação da regra áurea: "Como quereis que os outros vos façam, assim também fazei a eles" (Lc 6:31). Paulo não admite nenhuma superioridade privilegiada dos senhores, como se eles mesmos pudessem deixar de mostrar a própria cortesia que desejam receber. O patrão deve entender que, apesar de ser patrão, ele não deixa de ser servo de Deus.

Deus é seu juiz. Ele vai prestar conta ao Senhor. Se o patrão espera o melhor de seu empregado, deve também fazer o melhor para ele. O patrão não pode explorar os empregados. O problema do trabalho ficaria resolvido se tanto empregado como patrão observassem a Palavra de Deus.

Em segundo lugar, *a proibição*. "Deixando de ameaçá-los" (6:9b). No tempo de Paulo, os escravos viviam sob o medo de ameaças. O patrão crente precisa abandonar essa prática de ameaçar seus empregados. Os empregados devem ser tratados com bondade e respeito, nunca com violência ou humilhação. Eric Fromm, eminente psiquiatra, fala de dois tipos de autoridade: imposta e adquirida. A verdadeira autoridade não é aquela que impomos pela força, mas aquela que conquistamos pelo exemplo. O tratamento respeitoso é um elemento motivacional básico. O empregado motivado produz mais. A autoridade dos maridos, pais e patrões é uma oportunidade para servir e cuidar, não para oprimir. Humilhar, oprimir e ameaçar um empregado por ele estar em uma posição mais fraca é um grave pecado aos olhos de Deus. O patrão também pode oprimir o empregado, pagando-lhe um salário de fome ou retendo fraudulentamente seu salário (Tg 5:1-6).

Em terceiro lugar, *o incentivo*. "Sabendo que o Senhor, que é Senhor tanto deles como vosso, está no céu e não faz diferença entre as pessoas" (6:9c). Os patrões crentes são responsáveis diante de Deus pelo modo como tratam seus empregados. Eles não são superiores nem melhores aos olhos de Deus. Tanto eles como seus empregados ajoelham-se diante do mesmo Senhor, que não faz diferença entre as pessoas. Deus não demonstra parcialidade nem favoritismo. Muitos homens que governaram foram servos antes de ser líderes: José, Moisés, Josué, Davi, Neemias. Antes de você se tornar um líder, precisa aprender a ser servo. Um provérbio africano diz: "O chefe é o servo de todos". Jesus diz que aquele que quiser ser grande entre os outros deve ser servo de todos (Mt 20:27). O patrão que se esquece que tem um Senhor no céu fracassa em ser um bom patrão sobre a terra.

NOTAS DO CAPÍTULO 13

[307] STOTT, John. *A mensagem de Efésios*, p. 189.
[308] VAUGHAN, Curtis. *Efésios* p. 141.
[309] BARCLAY, William. *Galatas y Efesios*, p. 188.
[310] STOTT, John. *A mensagem de Efésios*, p. 189.
[311] BARCLAY, William. *Galatas y Efesios*, p. 189.
[312] VAUGHAN, Curtis. *Efésios*, p. 141.
[313] EADIE, John. *Commentary on the Epistle to the Ephesians*. Grand Rapids, MI: Zondervan Publishing House, s.d., p. 446.
[314] VAUGHAN, Curtis. *Efésios*, p. 142.
[315] VAUGHAN, Curtis. *Efésios*, p. 143.

Capítulo 14

A mais terrível batalha mundial
(Ef 6:10-24)

A VIDA CRISTÃ NÃO É UM PARQUE DE diversões nem uma colônia de férias. Não vivemos numa redoma de vidro nem numa estufa espiritual. Ao contrário, vivemos num campo minado pelo inimigo, uma arena de lutas renhidas, de combates sem trégua. Há uma luta mundial, suprarracial, supraterrena, espiritual e contínua.

Não existe pessoa neutra nessa guerra. Não existe tempo de trégua nessa conflagração. Não existe acordo de paz. Existem só duas categorias: aqueles que estão alistados no exército de Deus e aqueles que pertencem ao exército de Satanás.

Quanto a essa matéria há dois perigos, dois extremos, ambos nocivos à vida da igreja:[316]

Primeiro, *subestimar o inimigo*. Há muitas pessoas incautas que negam a existência do Diabo, desconhecem seu poder, suas armas, seus agentes e suas estratégias. Acham que o Diabo é apenas uma lenda, um mito ou uma energia negativa. Subscrever essa posição é cair nas teias desse ardiloso e vetusto inimigo. O Diabo é mais perigoso em sua astúcia do que em sua ferocidade. Faz parte do seu jogo esconder sua identidade. A negação do Diabo é a expressão mais escandalosa de satanismo.

Segundo, *superestimar o inimigo*. Há aqueles que falam mais do Diabo do que de Deus. Falam tanto do poder, das armas e das estratégias dele que subestimam o poder de Deus. Fazem do Diabo o protagonista de quase todas as ações. Uma dor de cabeça que a pessoa sente, facilmente resolvida por uma aspirina, atribui-se ao poder de Satanás. O pneu do carro que fura no trânsito é artimanha do maligno. Aqueles que embarcam nessa vertente hermenêutica transferem para o Diabo toda a responsabilidade pessoal. O homem já não é mais culpado nem precisa de arrependimento. Ele é apenas uma vítima. Esse tipo de interpretação está em desacordo com as Escrituras. Não podemos confundir a ação do Diabo com as obras da carne. Certa feita, uma jovem senhora entrou em meu gabinete pastoral e me pediu para orar em favor de seu pai porque, segundo ela, estava dominado pelo espírito do adultério. Disse-lhe que o adultério é obra da carne e não um espírito demoníaco. Seu pai precisava de arrependimento. Ele não era uma vítima, mas o responsável por seu ato.

Antes de falar contra quem devemos lutar, Paulo deixa claro contra quem não é a nossa luta. Nossa luta não é contra carne e sangue, ou seja, não é contra pessoas. Nossa luta não é física, mas espiritual. Muitas vezes, o povo de Deus sofre terrivelmente por não entender contra quem está lutando. Seria uma tragédia um soldado sair para a batalha de armas em punho e muita disposição para a luta mas sem saber contra quem deve lutar. É um grande perigo alguém detonar suas armas sem ter um alvo certo. Há muitos cristãos que estão entrando na batalha e ferindo os próprios irmãos. Estão atingindo com seus torpedos os próprios aliados, em vez de bombardear o arraial do inimigo:[317]

Dito isso à guisa de introdução, precisamos perguntar: contra quem é nossa luta? Warren Wiersbe destaca quatro pontos no texto em apreço: o inimigo, o equipamento, a energia e o encorajamento:[318] Detalhemos esses pontos.

O inimigo contra quem lutamos nessa batalha (6:11-13)

O apóstolo Paulo descreve nosso arqui-inimigo de forma clara:

> Revesti-vos de toda a armadura de Deus, para que possais permanecer firmes contra as ciladas do Diabo; pois não é contra pessoas de carne e sangue que temos de lutar, mas sim contra principados e poderios, contra os príncipes deste mundo de trevas, contra os exércitos espirituais da maldade nas regiões celestiais. Por isso, tomai toda a armadura de Deus, para que possais resistir no dia mau e, havendo feito tudo, permanecer firmes (6:11-13).

Não podemos lutar contra quem não conhecemos. Quais são as características desse inimigo? Efésios 6:11,12 diz que o Diabo, mesmo não sendo onipresente, onisciente e onipotente, tem seus agentes espalhados por toda parte, e esses seres caídos estão a seu serviço para guerrear contra o povo de Deus.

Chamamos a atenção para algumas verdades: 1) o reino das trevas possui uma organização. O Diabo não é tão tolo a ponto de não ser organizado. É o que podemos chamar de "a ordem da desordem"; 2) existe uma estratificação de poder no reino das trevas. Paulo fala de principados, poderios, príncipes deste mundo de trevas e exércitos espirituais do mal. Existe uma cadeia de comando. Existem cabeças e subalternos. Líderes e liderados. Quem manda e quem obedece; 3) o reino das trevas articula-se contra a igreja. O Diabo e seus demônios rodeiam a terra e passeiam por ela. Eles investigam nossa vida, buscando uma oportunidade para nos atacar. Esse inimigo não dorme, não tira férias nem descansa. Esse inimigo tem um variado arsenal. Ele usa "ciladas" (*metodeia*). Para cada pessoa, ele usa uma estratégia diferente. Ele ousa mudar os métodos:[319]

Destacamos, agora, algumas características desse terrível inimigo:

Em primeiro lugar, *é um inimigo invisível* (6:11,12). O Diabo e seus agentes são seres reais, porém invisíveis. Esse inimigo espreita-nos 24 horas por dia. Ele é como um leão que ruge ao nosso derredor. Ele escuta cada palavra que você fala, vê cada atitude que você toma e acompanha cada ato que você pratica escondido. Ele é um inimigo espiritual. Você não pode guerrear contra ele com armas carnais. Ele não pode ser destruído com bombas atômicas. Ele age de forma inesperada.

Em segundo lugar, *é um inimigo maligno* (6:11,12). A Bíblia o chama de Diabo, Satanás, assassino, ladrão, mentiroso, destruidor, tentador, maligno, serpente, dragão, Abadom e Apoliom. Seu intento é roubar, matar e destruir. Ele sabe que já está sentenciado à perdição eterna e quer levar consigo homens e mulheres.

Em terceiro lugar, *é um inimigo astuto* (6:11). Ele usa ciladas, armadilhas e ardis. Ele age dissimuladamente como uma serpente. Ele disfarça-se. Ele transfigura-se em anjo de luz. Seus ministros parecem ser ministros de justiça. Ele usa voz mansa. Ele usa muitas máscaras. Ele tenta enganar as pessoas levando-as a duvidar da Palavra de Deus, exaltando o homem ao apogeu da glória. Ele também age assustadoramente como um leão. Ele ruge para assustar.

Paulo fala que precisamos tomar toda a armadura de Deus para poder resistir no dia mau (6:13). O "dia mau" é o dia de duras provas, os momentos mais críticos da vida, quando o Diabo e seus subordinados sinistros nos assaltam com grande veemência. O "dia mau" refere-se àqueles dias críticos de tentação ou de constante assalto satânico que todos os filhos de Deus conhecem. Nesses dias, somos subitamente assaltados, sem nenhum aviso, nenhum sinal de tempestade, nenhuma queda do barômetro:[320]

O Diabo e seus asseclas ameaçam e intimidam as pessoas com o propósito de destruí-las. Eles atacam com fúria no dia mau. Eles também agem com diversidade de métodos. Eles estudam cada pessoa para saber o lado certo para atacá-la. Sansão, Davi, Pedro foram derrubados porque o Diabo variou seus métodos.

Entre as histórias do livro *Mil e uma noites* encontramos a de Simbá nos mares da Índia. Enorme rocha magnética destacava-se no meio das águas tranquilas com aspecto inocente, sem oferecer perigo. Mas, quando o navio de Simbá se aproximou dela, a poderosa força magnética de que estava impregnada a rocha arrancou todos os pregos e cavilhas que mantinham unida a estrutura do barco. Desfeito em pedaços, o navio condenou à morte os que nele viajavam. As forças do mal continuam em ação. Precisamos estar atentos para identificá-las; do contrário sofreremos sérios danos:[321] William Hendriksen, escrevendo sobre essas ciladas do Diabo, afirma:

> Alguns destes manhosos ardis e malignos estratagemas são: confundir a mentira com a verdade de forma a parecer plausíveis (Gn 3:4,5,22); citar (melhor, citar erroneamente) as Escrituras (Mt 4:6); disfarçar-se em anjo de luz (2Co 11:4) e induzir seus "ministros" a fazerem o mesmo, "aparentando ser apóstolos de Cristo (2Co 11:13); arremedar a Deus (2Ts 2:1-4,9); reforçar a crença humana de que ele não existe (At 20:22); entrar em lugar onde não se esperava que entrasse (Mt 24:15; 2Ts 2:4); e, acima de tudo, prometer ao homem que por meio das más ações pode-se chegar a obter o bem (Lc 4:6,7):[322]

Em quarto lugar, *é um inimigo persistente* (6:13b). "E, havendo tudo feito, permanecer firmes". O Diabo e suas hostes não ensarilham suas armas. Ao ser derrotados, eles voltam com novas estratégias. Foi assim com Jesus no deserto, onde foi tentado (Lc 4:13). Elias fugiu depois de uma grande vitória. Sansão foi subjugado pelos filisteus depois de vencê-los. Davi venceu exércitos, mas caiu na teia da luxúria. Pedro caiu na armadilha da autoconfiança.

Em quinto lugar, *é um inimigo numeroso* (6:12). Paulo fala de principados, poderios, príncipes deste mundo de trevas e exércitos espirituais do mal. O Diabo e seus anjos estão tentando, roubando e matando pessoas em todo o mundo. Eles são numerosos. Não podemos vencer esses terríveis exércitos do mal sozinhos nem com nossas próprias armas.

Em sexto lugar, *é um inimigo oportunista* (6:11,14). Mesmo depois que o vencemos, precisamos continuar firmes (6:11,14), porque ele sempre procura um novo jeito de atacar. Quando o crente deixa de usar toda a armadura de Deus, ele encontra uma brecha, entra e faz um estrago (4:26,27). Não podemos ter vitória nessa guerra se não usarmos todas as peças da armadura. Não podemos permitir que o inimigo nos encontre indefesos. O Diabo e suas

A mais terrível batalha mundial

hostes buscam uma estratégia para nos atacar de súbito, sem nenhum aviso, sem nenhum sinal de tempestade.

Alistamos a seguir algumas dessas interferências do Diabo na vida do povo de Deus: 1) ele furta a Palavra do coração (Lc 8:12); 2) ele semeia o joio no meio do trigo (Mt 13:24-30); 3) ele opõe-se ao pregador (Zc 3:1-5); 4) ele intercepta a resposta às orações dos santos (Dn 10); 5) ele oprime pessoas com enfermidades (Lc 13:10-17); 6) ele resiste à obra missionária (1Ts 2:8); 7) ele atormenta as pessoas em cujo coração não há espaço para o perdão (Mt 18:23-35); 8) ele usa a arma da dissimulação (2Co 11:14,15); 9) ele usa a arma da intimidação (1Pe 5:8); 10) ele age na disseminação de falsos ensinos (1Tm 4:1); e 11) ele ataca a mente dos homens (2Co 4:4):[323]

O equipamento que precisamos para essa batalha (6:14-17)

O apóstolo listou seis equipamentos imprescindíveis para entrarmos nessa peleja. Que equipamentos são esses?

Em primeiro lugar, Paulo fala *do cinturão da verdade* (6:14a). "Portanto, permanecei firmes, trazendo em volta da cintura a verdade." Satanás é o pai da mentira (Jo 8:44), mas o crente cuja vida é controlada pela verdade pode vencê-lo. A máscara da mentira um dia cai. O cinturão é o que segurava as outras partes da armadura juntas. A verdade é a força integrante na vida de um crente vitorioso. Um homem de integridade, com uma consciência limpa, pode enfrentar o inimigo sem medo, como Lutero enfrentou a Dieta de Worms. O cinturão é que segurava a espada. A não ser que você pratique a verdade, você não pode usar a Palavra da verdade. Davi viveu um ano mentindo sobre seu caso com Bate-Seba, e tudo começou a ir de mal a pior em sua vida.

Em segundo lugar, Paulo falou sobre *a couraça da justiça* (6:14b). "E vestindo a couraça da justiça." Essa peça da armadura, feita de metal, cobria o guerreiro do pescoço ao peito. Protegia o coração e os órgãos vitais. Esse é um símbolo da justiça que o crente tem em Cristo (2Co 5:21), como também o caráter justo que o crente exerce em sua vida diária (4:24). A couraça representa a vida devota e santa, ou seja, a retidão moral. Sem a justiça de Cristo e a santidade pessoal não há defesa contra as acusações de Satanás (Zc 3:1-3). Satanás é o acusador, mas sua acusação não prospera por causa da justiça de Cristo imputada a nós (Rm 8:34). Mas nossa justiça posicional em Cristo, sem uma justiça prática na vida diária, apenas dá a Satanás oportunidade para nos atacar.

Em terceiro lugar, Paulo falou sobre *o calçado do evangelho* (6:15). "Calçando os pés com a disposição para o evangelho da paz." Os soldados romanos usavam uma sandália com cravos na sola para lhes dar segurança e agilidade na caminhada e corrida por lugares escarpados. Se quisermos ficar firmes e de pé na luta, precisamos estar calçados com o Evangelho (que nos dá paz com Deus e com o próximo). Precisamos ter pés velozes para anunciar o evangelho da paz aos perdidos (Is 52:7). O Diabo declara guerra para destruir os homens, mas nós somos embaixadores do evangelho da paz (2Co 5:18-20).

Em quarto lugar, Paulo falou sobre *o escudo da fé* (6:16). "E usando principalmente o escudo da fé, com o qual podereis apagar todos os dardos em chamas do Maligno." Esse escudo media 1,60 metro de altura por 70 centímetros de largura. Ele protegia todo o corpo do soldado. Era feito de madeira e coberto por um couro curtido. Quando os soldados lutavam emparelhados, formavam como que uma parede contra o adversário. Uma das armas mais terríveis eram os dardos de fogo porque não apenas feriam, mas também incendiavam. O Diabo lança dardos de fogo em nosso coração e mente: mentiras, pensamentos blasfemos, pensamentos de vingança, dúvidas e ardentes desejos de pecar. Se não apagarmos esses dardos pela fé, eles acendem fogo em nosso interior e nós desobedecemos a Deus. Na aljava do Diabo há toda espécie de dardos ardentes. Alguns dardos inflamam a dúvida, outros a lascívia, a cobiça, a vaidade e a inveja. Curtis Vaughan diz que esses dardos de fogo eram flechas untadas com breu ou com outro material combustível e acesas imediatamente antes de ser lançadas contra o adversário. Não só feriam, como também queimavam:[324]

Em quinto lugar, Paulo falou sobre *o capacete da salvação* (6:17a). "Tomai também o capacete da salvação." Satanás ataca a mente. Essa foi a estratégia pela qual ele derrotou Eva. Essa peça da armadura fala de uma mente controlada por Deus. Infelizmente, muitos crentes dão pouco valor à mente, à razão, ao conhecimento. Quando Deus controla nossa mente, Satanás não pode levar o crente a fracassar. O crente que estuda a Bíblia e está firmado na Palavra de Deus não cede às propostas sedutoras do Diabo facilmente.

Em sexto lugar, Paulo falou sobre *a espada do Espírito* (6:17b). "E a espada do Espírito, que é a palavra de Deus." A espada do Espírito é arma de ataque. Essa espada é a Palavra de Deus. Vencemos os ataques do Diabo e triunfamos sobre ele por meio da Palavra. É pela Palavra que saqueamos o reino das trevas, a casa do valente. É pela Palavra que os cativos são libertos. A Palavra é poderosa, viva e eficaz. Moisés quis libertar os israelitas com a espada carnal e fracassou, mas quando usou a espada do Espírito o povo foi liberto. Pedro quis defender a Cristo com a espada e fracassou, mas quando brandiu a espada do Espírito, multidões se renderam a Cristo. Cristo venceu Satanás no deserto usando a espada do Espírito. As viagens de Paulo, pregando o evangelho, plantando igrejas e arrancando vidas da potestade de Satanás para Deus é uma descrição eloquente de como ele usou a espada do Espírito.

Precisamos conhecer a Palavra. A Bíblia nos afasta do pecado ou o pecado nos afasta da Bíblia. Infelizmente, há crentes mais comprometidos com a coluna esportiva do jornal do dia do que com a Palavra bendita de Deus.

O poder para vencer essa guerra (6:10-13)

A guerra espiritual não é uma ficção. O fato de o nosso inimigo ser invisível não quer dizer que é irreal. Para enfrentá-lo e vencê-lo não podemos usar armas convencionais. Precisamos de armas espirituais poderosas em Deus para desfazer sofismas e desbaratar o inimigo (2Co 10:4). Destacamos aqui cinco verdades:[325]

Em primeiro lugar, *precisamos do revestimento do poder de Deus* (6:10). "Finalmente, fortalecei-vos no Senhor e na força do seu poder." Não podemos entrar nessa arena de combate fiados em nossa própria força. Precisamos ser revestidos com poder. Sem autoridade espiritual seremos humilhados nessa peleja. Não basta falar de poder, é preciso experimentá-lo. A igreja contemporânea está sem poder, como os discípulos de Cristo, no sopé do monte da transfiguração (Lc 9:40). Estamos sem poder porque perdemos muitas vezes o foco com discussões inócuas, enquanto deveríamos orar, jejuar, crer e fazer a obra de Deus na força do seu poder (Mc 9:14). Hoje, a igreja tem extensão, mas não tem profundidade; tem influência política, mas não tem autoridade moral; tem poder econômico, mas está vazia de poder espiritual. Estamos precisando de poder, de uma capacitação especial do Espírito de Deus. Não falamos de um desempenho diante dos homens; não falamos de um poder cosmético que tem brilho, mas não calor; que tem aparência, mas não substância. Precisamos de um batismo de fogo, e não de fogo estranho; precisamos de uma obra do céu, e não dos embustes da terra.

Em segundo lugar, *precisamos do revestimento de toda a armadura de Deus* (6:11,13). "Revesti-vos de toda a armadura de Deus. [...] Por isso, tomai toda a armadura de Deus." Já observamos que Paulo fala de sete peças da armadura, e sete é o número da perfeição. É preciso revestir-se de *toda* a armadura de Deus sem deixar nenhuma brecha ou flanco aberto.

Em terceiro lugar, *precisamos de vigilância constante* (6:11). Ficar firme contra as ciladas do Diabo é ficar atento, de olhos abertos, vigiando a todo instante. É ficar de prontidão para o combate. É não dormir em meio à luta, como os discípulos de Jesus dormiram no Getsêmani. Vigiar é não brincar com o pecado, é fugir da tentação. É não ficar flertando com situações sedutoras. Concordo com Lloyd-Jones quando diz que o Diabo não precisa usar suas "ciladas" contra o incrédulo, contra o não cristão. Ele não precisa fazer isso:[326] O incrédulo já está na casa do valente, na potestade de Satanás, no reino das trevas. O Diabo escala seus demônios mais terríveis para atacar os filhos de Deus.

Em quarto lugar, *precisamos estar a postos e não ceder às pressões* (6:13). "Para que possais resistir no dia mau." Se não estivermos atentos, corremos o risco de ficar revoltados e amargurados com Deus ao nos depararmos com o dia mau. Por falta de discernimento espiritual, muitos ficam

EFÉSIOS — Igreja, a noiva gloriosa de Cristo

zangados com as pessoas, desanimados espiritualmente e até mesmo decepcionados com Deus.

Em quinto lugar, *precisamos continuar atentos mesmo depois de uma vitória consagradora* (6:13). "E, havendo feito tudo, permanecer firmes." Nossa luta contra o Diabo e suas hostes continuará até que ele seja lançado no lago de fogo. Enquanto vivermos aqui, teremos luta. Aqui não é lugar de descanso, mas de guerra. Viver é lutar. A vida é uma luta ativa, incessante e sem pausas. Nessa peleja não existe o cessar-fogo. Não existe trégua. Não existem acordos de paz. Depois de uma vitória, não devemos arriar as armas, pois não há momento mais vulnerável na vida de um indivíduo do que depois de uma grande vitória. O segredo da vitória é a vigilância constante.

A energia com a qual devemos lutar essa guerra (6:18-20)

A oração é a energia que capacita o soldado crente a usar a armadura e brandir a espada do Espírito. A palavra de Deus dirigida aos homens é deveras poderosa, especialmente quando ela se acha em íntima relação com a palavra dos homens dirigidas a Deus. Não podemos lutar nessa guerra com nossas próprias forças, no nosso próprio poder. Moisés orou, e Josué brandiu a espada contra Amaleque. Oração e ação caminham juntas (Êx 17:8-16). A oração é o poder para a vitória. Paulo fala sobre seis coisas importantes a respeito da oração:

Em primeiro lugar, *o tempo da oração* (6:18). "Orando em todo tempo." Isso quer dizer que devemos estar em constante comunhão com Deus. É errado dizer: "Senhor, vimos agora à tua presença", porque o crente jamais tem licença para sair da presença do Senhor. O crente deve orar sempre, porque ele está sempre exposto ao ataque do inimigo.

A mais terrível batalha mundial

Em segundo lugar, *a natureza da oração* (6:18). "Com toda oração e súplica" é mais do que um tipo de oração. Devemos usar súplica, intercessão e ação de graças. O crente que ora apenas pedindo coisas está perdendo o real sentido da oração, que é se manter em intimidade com Deus, deleitando-se nele.

Em terceiro lugar, *a esfera da oração* (6:18). "No Espírito" quer dizer que essa oração precisa ser motivada e assistida pelo Espírito (Rm 8:26,27). Não é oração feita no monte ou em línguas, mas no Espírito. O Espírito assiste-nos em nossa fraqueza, porque não sabemos orar como convém. O Espírito é como o fogo que faz o incenso da oração subir como aroma suave diante de Deus. É possível, porém, orar fervorosamente, mas na carne.

Em quarto lugar, *a vigilância da oração* (6:18). "E, para isso mesmo, vigiando." Devemos orar de olhos abertos. Devemos orar e vigiar. Devemos fazer como Neemias: "Nós, porém, oramos ao nosso Deus; e colocamos guardas para proteger-nos de dia e de noite" (Ne 4:9). Orar e vigiar é o segredo da vitória sobre o mundo (Mc 13:33), a carne (Mc 14:38) e o Diabo (6:18). Porque Pedro dormiu, e não orou nem vigiou, ele foi derrotado no Getsêmani (Mc 14:29-31, 67-72).

Em quinto lugar, *a perseverança da oração* (6:18). "Com toda perseverança." A igreja primitiva orou com perseverança (At 1:14; 2:42; 6:4), e também devemos orar da mesma forma (Rm 12:12). Robert Law disse: "A oração não é para fazer a vontade do homem no céu, mas para fazer a vontade de Deus na terra".

Em sexto lugar, *o alcance da oração* (Ef 6:18-20). "E súplica por todos os santos, e também por mim, para que a palavra me seja dada quando eu abrir a boca, para que possa, com ousadia, tornar conhecido o mistério do evangelho, pelo qual sou embaixador na prisão, para que nele eu tenha coragem para falar como devo." Somos um exército, precisamos orar uns pelos outros e orar por todos os santos. Quando um soldado cai, tornamo-nos mais vulneráveis. Precisamos uns dos outros. Precisamos orar uns pelos outros. Nenhum soldado, ao entrar em combate, ora só por si mesmo, mas também por seus companheiros. Eles constituem um exército, e o sucesso de um é o sucesso de todos:[327] Paulo pede oração por si mesmo, não para se livrar da prisão, mas para tornar-se mais eficaz na proclamação do evangelho.

O encorajamento para lutar essa guerra (6:21-24)

O apóstolo Paulo menciona duas verdades que devem nos encorajar a entrar nessa batalha certos da vitória:

Em primeiro lugar, *não estamos sozinhos na batalha* (6:21,22). "E para que vós também possais saber como estou e o que estou fazendo, Tíquico, irmão amado e fiel ministro no Senhor, vos informará de tudo. Eu o estou enviando com esse objetivo, para que saibais da nossa situação e para que ele vos conforte o coração." Não estamos lutando essa guerra sozinhos. Há outros soldados, outros crentes que estão lutando conosco, e devemos nos esforçar para encorajar uns aos outros. Paulo encorajou os efésios. Tíquico foi um encorajamento para Paulo. Agora, Paulo envia Tíquico para encorajar os efésios. Paulo compartilhava seus problemas e desafios. Ele queria que o povo soubesse o que Deus estava fazendo, como suas orações estavam sendo respondidas, e o que Satanás estava fazendo para opor-se à obra de Deus.

É um grande encorajamento fazer parte da família de Deus. Não existe em qualquer passagem do Novo

Testamento sustentação para a ideia de um crente isolado. O crentes são como ovelhas, eles precisam estar no meio do rebanho. Cristãos são como soldados, precisam estar juntos e lutar juntos as guerras do Senhor.

Em segundo lugar, *mesmo em guerra, somos o povo mais abençoado do mundo* (6:23,24). "A paz esteja com os irmãos, e também o amor com fé, da parte de Deus Pai e do Senhor Jesus Cristo. A graça esteja com todos os que amam nosso Senhor Jesus Cristo com amor que não se abala." Observe as palavras usadas por Paulo na conclusão dessa carta: paz, amor, fé e graça. Paulo era prisioneiro em Roma, mas, mesmo assim, ele era mais rico que o imperador. Não importa em que circunstâncias possamos estar; se estamos em Cristo, somos abençoados com toda a sorte de bênçãos espirituais.

Aleluia! Amém!

NOTAS DO CAPÍTULO 14

[316] LOPES, Hernandes Dias. *Marcado para vencer.* São Paulo: Candeia, 1999, p. 11,12.

[317] LOPES, Hernandes Dias. *Marcado para vencer*, p. 13.

[318] WIERSBE, Warren W. *Comentário bíblico expositivo*, p. 74-79.

[319] LOPES, Hernandes Dias. *Marcado para vencer*, p. 14.

[320] VAUGHAN, Curtis. *Efésios*, p. 148.

[321] LOPES, Hernandes Dias. *Marcado para vencer*, p. 16.

[322] HENDRIKSEN, William. *Efésios*, p. 339.

[323] LOPES, Hernandes Dias. *Marcado para vencer*, p. 25-34.

[324] VAUGHAN, Curtis. *Efésios*, p. 150.

[325] LOPES, Hernandes Dias. *Marcado para vencer*, p. 34-39.

[326] LLOYD-JONES, D. M. *O combate cristão.* São Paulo: PES, 1991, p. 88.

[327] VAUGHAN, Curtis. *Efésios*, p. 152.

Sua opinião é importante para nós.
Por gentileza, envie-nos seus comentários pelo e-mail:

editorial@hagnos.com.br

Visite nosso site:

www.hagnos.com.br